Monika Reimann

Essential Grammar

of German

**Explanations
and exercises**

Updated Edition

Translated by
Wolfgang Winkler

Hueber Verlag

Für M. und D.

System requirements:

Windows :
- x86-compatible processor with at least 2,33 GHz or Intel® Atom™ with at least 1,6 GHz for netbooks
- Microsoft® Windows® XP Home, Professional or Tablet PC Edition with Service Pack 3, Windows Server® 2003, Windows Server 2008, Windows Vista® Home Premium, Business, Ultimate or Enterprise (also 64 Bit) with Service Pack 2 or Windows 7 or Windows 8 Classic
- 512 MB RAM (1 GB recommended)
- Mac OS X: Intel Core™ Duo 1,83 GHz or faster processor
  Mac OS X Version 10.6, 10.7, 10.8 or 10.9
  512MB RAM (1 GB recommended)

Acknowledgements:
Page 19: 1 © fotolia/Wolfgang Meyer; 2,3,5,6,7,8 © Bundesanstalt für Straßenwesen; 4 © fotolia/Marem
Page 64: 1 © Thinkstock/Hemera/Julius Orpia; 2 © iStock/Philip Barker; 3 © fotolia/WoGi;
         5 © Bundesanstalt für Straßenwesen; 6 © fotolia/xiver

5. 4. 3. | Die letzten Ziffern
2020 19 18 17 16 | bezeichnen Zahl und Jahr des Druckes.
Alle Drucke dieser Auflage können, da unverändert,
nebeneinander benutzt werden.
1. Auflage
© 2012 Hueber Verlag GmbH & Co. KG, 85737 Ismaning, Deutschland
Umschlaggestaltung: Maria Hösl, München
Zeichnungen: © Hueber Verlag/Wilfried Poll
Satz: Sieveking · Agentur für Kommunikation, München und Berlin
Druck und Bindung: Friedrich Pustet GmbH & Co. KG, Regensburg
Printed in Germany
ISBN 978–3–19–201575-5

Art. 530_11846_001_03

Preface

This book will suit A1, A2 and B1 learners looking for extra help in explaining and practising German grammar. Even more advanced students taking up German grammar again after a break will find it just as invaluable a help as those higher-level learners who still have problems and would like to revise their basic grammar either completely or in part.

This grammar book can be used alongside any German as a Foreign Language course – both in class as well as for self-study at home.

In this updated edition, the practice material in each chapter has been divided according to level. A1 exercises have a light-blue background , A2 exercises have a slightly darker blue colour and B1 exercises a dark-blue background .

Additional exercises, in particular for Level A1, can be found on the CD-ROM (which is included in the book). Self-study learners can check their answers using the answer key at the back of the book, thus achieving the best-possible preparation for their A1, A2 and B1 exams.

The individual chapters need not be taken in the same sequence as in the book. Using the examples now included in the table of contents, students can quickly recognize their needs and create their own individual programme.

Monika Reimann

CONTENTS

Verbs

Nouns

Contents

Particles

Clause and sentence structure

Abbreviations

acc.	accusative
dat.	dative
e.g.	for instance
etc	et cetera
fem.	feminine
gen.	genitive
inf.	infinitive
jdm.	jemandem
jdn.	jemanden
masc.	masculine
MC	main clause
neut.	neuter
nom.	nominative
pl.	plural
SC	subordinate clause
sing.	singular

Symbols/Pictograms

Level A1 exercise

Level A2 exercise

Level B1 exercise

Exercises on CD-ROM

1.1 Verbs
Basic Verbs

████████ **sein – haben – werden**

Use

sein   *as an ordinary verb*
            Ich bin müde.   + adjective
            Ich bin Ärztin.   + noun
            Die Tür ist geschlossen.   + past participle

            as an auxiliary verb
            Ich bin gestern angekommen.   perfect tense
            Ich war gestern angekommen.   past perfect tense

haben   *as an ordinary verb*
            Ich habe Hunger.   + noun

            as an auxiliary verb
            Ich habe ihn gefragt.   perfect tense
            Ich hatte ihn gefragt.   past perfect tense

werden   *as an ordinary verb*
            Ich werde Pilot.   + noun
            Ich werde ungeduldig.   + adjective

            as an auxiliary verb
            Ich würde jetzt gern schlafen.   subjunctive II
            Hier wird ein Museum gebaut.   passive
            Ich werde dich bald besuchen.   future tense

Formation

		sein	haben	werden
Present tense	ich	bin	habe	werde
	du	bist	hast	wirst
	er, sie, es	ist	hat	wird
	wir	sind	haben	werden
	ihr	seid	habt	werdet
	sie, Sie	sind	haben	werden
Past tense	ich	war	hatte	wurde
	du	warst	hattest	wurdest
	er, sie, es	war	hatte	wurde
	wir	waren	hatten	wurden
	ihr	wart	hattet	wurdet
	sie, Sie	waren	hatten	wurden
Perfect tense	ich …	bin … gewesen …	habe … gehabt …	bin … geworden …
Past perfect tense	ich …	war … gewesen …	hatte … gehabt …	war … geworden …

▶ Exercises 1–3

können – dürfen – müssen – sollen – wollen – mögen (Modal verbs)

Use

können

ability
Ich kann segeln.

possibility
Kann man hier Theaterkarten kaufen?

permission
Du kannst gern mein Auto nehmen.

dürfen

permission
Hier darf man parken.

prohibition
Sie dürfen hier nicht rauchen.

polite question
Darf ich Ihnen helfen?

müssen

obligation, instruction, command (from an external source)
Der Arzt hat gesagt, ich muss diese Tabletten dreimal täglich nehmen.
Sie müssen hier noch unterschreiben.

+ negation ('nicht brauchen zu' / 'nicht müssen')
Der Arzt hat gesagt, die anderen Tabletten brauche ich nicht mehr zu nehmen.
Dieses Formular brauchen Sie nicht zu unterschreiben.

The expression *nicht brauchen zu* can replace *nicht müssen*.

▶ Use of *brauchen* as an ordinary verb see page 16

sollen	*advice, recommendation* Der Arzt hat gesagt, ich soll nicht so viel rauchen.
	advice, recommendation (more polite and non-committal; subjunctive II) Der Arzt hat gesagt, ich sollte mehr Sport treiben.
	moral obligation Man soll Rücksicht auf andere Menschen nehmen.
wollen	*plan, intention* Wir wollen uns ein Haus kaufen. Er will Physik studieren.
mögen **(indicative)**	‚*mögen' as an ordinary verb* Ich mag sie sehr gern. Kaffee mag ich nicht. Ich trinke nur Tee.
ich möchte	*wish* Ich möchte bitte ein Kilo Tomaten. Ich möchte jetzt wirklich nach Hause gehen.
	plan, intention Ich möchte im nächsten Urlaub nach Griechenland fahren. Ich möchte ihn auf jeden Fall besuchen.

modal verbs **used as ordinary** **verbs**	können	Ich kann Deutsch.
	dürfen	Ich darf mit dir ins Kino.
	müssen	Ich muss jetzt nach Hause.
	sollen	Was soll das?
	wollen	Ich will jetzt nicht!
	ich möchte	Ich möchte das aber nicht!

Formation

	können	**dürfen**	**müssen**
Present tense			
ich	kann	darf	muss
du	kannst	darfst	musst
er, sie, es	kann	darf	muss
wir	können	dürfen	müssen
ihr	könnt	dürft	müsst
sie, Sie	können	dürfen	müssen

	sollen	**wollen**	**mögen**	
ich	soll	will	mag	möchte
du	sollst	willst	magst	möchtest
er, sie, es	soll	will	mag	möchte
wir	sollen	wollen	mögen	möchten
ihr	sollt	wollt	mögt	möchtet
sie, Sie	sollen	wollen	mögen	möchten

	können	**dürfen**	**müssen**
Past tense			
ich	konnte	durfte	musste
du	konntest	durftest	musstest
er, sie, es	konnte	durfte	musste
wir	konnten	durften	mussten
ihr	konntet	durftet	musstet
sie, Sie	konnten	durften	mussten

	sollen	**wollen**	**mögen**	
ich	sollte	wollte	mochte	wollte*
du	solltest	wolltest	mochtest	...
er, sie, es	sollte	wollte	mochte	
wir	sollten	wollten	mochten	
ihr	solltet	wolltet	mochtet	
sie, Sie	sollten	wollten	mochten	

* In the past tense *ich möchte* is replaced by *ich wollte*:
Nachher möchte ich noch einen Spaziergang machen.
Gestern wollte ich noch einen Spaziergang machen, aber dann hat es
plötzlich angefangen zu regnen.

Perfect tense	Ich	**habe**	nach Hause	**gehen müssen.**
	Er	**hat**	nicht	**schlafen können.**

Modal verbs are not often used in the perfect tense. It is stylistically better to use the past tense:

	Ich	**musste**	nach Hause	**gehen.**
	Er	**konnte**	nicht	**schlafen.**

Past perfect tense   Modal verbs are not often used in the past perfect tense (Ich hatte nach Hause gehen müssen. – Er hatte nicht schlafen können.).

Word order in the main clause

Present tense	Ich	**muss**	zum Arzt	**gehen.**
Past tense	Ich	**musste**	zum Arzt	**gehen.**

rarely used

Perfect tense	Ich	**habe**	nach Hause	**gehen müssen.**
Past perfect tense	Ich	**hatte**	nach Hause	**gehen müssen.**

Word order in subordinate clauses

Present tense	Ich weiß,	dass ich zum Arzt	**gehen muss.**
Past tense	Ich wusste,	dass ich zum Arzt	**gehen musste.**

rarely used

Perfect tense	Ich weiß,	dass ich zum Arzt	**habe gehen müssen.**
Past perfect tense	Ich wusste,	dass ich zum Arzt	**hatte gehen müssen.**

▶ Exercises 4–11

lassen – brauchen

Use

lassen	*as an ordinary verb*
	Er kann es einfach nicht lassen.
	Lassen Sie das!
	Tu, was du nicht lassen kannst!

modal use

Ich lasse ihn mit meinem Auto fahren.	permission
Er lässt sich die Haare schneiden.	instruction
Die Maschine lässt sich noch reparieren.	possibility

lassen **in the perfect tense**	*as an ordinary verb*
	Ich habe meine Tasche zu Hause gelassen. *haben + gelassen*

modal use

Er hat sich die Haare schneiden lassen.	*haben* + infinitive + *lassen*

brauchen	*as an ordinary verb*
	Ich brauche Hilfe. + accusative

modal use

Du brauchst nicht zu kommen.	= *nicht müssen*
Du brauchst das nur zu sagen.	= *nur müssen*
	▶ *müssen* see page 12

brauchen **in the perfect tense**	*as an ordinary verb*
	Ich habe Hilfe gebraucht. *haben + gebraucht*

Formation

		lassen	brauchen
Present tense	ich	lasse	brauche
	du	lässt	brauchst
	er, sie, es	lässt	braucht
	wir	lassen	brauchen
	ihr	lasst	braucht
	sie, Sie	lassen	brauchen
Past tense	ich	ließ	brauchte
	du	ließest	brauchtest
	er, sie, es	ließ	brauchte
	wir	ließen	brauchten
	ihr	ließt	brauchtet
	sie, Sie	ließen	brauchten
Perfect tense as an ordinary verb	ich	habe … gelassen	habe … gebraucht
	…	…	…
Perfect tense as an auxiliary verb	ich	habe … inf. + lassen	habe … *nicht* + inf. + *zu* + brauchen
	…	…	…
Past perfect tense as an ordinary verb	ich	hatte … gelassen	hatte … gebraucht
	…	…	…
Past perfect tense as an auxiliary verb	ich	hatte … inf. + lassen	hatte … *nicht* + inf. + *zu* + brauchen
	…	…	…

▶ Exercises 12–14

▶ 💿 Chapter 1, exercises 1–4

1 Present tense and past tense:
Please complete.

1. er _hat_ er hatte
2. wir sind wir _____
3. du hast du _____
4. ihr seid ihr _____
5. Sie _____ Sie hatten
6. er _____ er war
7. ich bin ich _____
8. wir _____ wir hatten
9. sie _____ sie waren
10. du bist du _____
11. ihr habt ihr _____
12. es ist es _____

2 Present tense: Supply the correct
forms of *sein*, *haben* and *werden*.

1. Seit wann _ist_ er denn
   verheiratet?
2. Wie alt _____ du?
3. Wenn ich mal groß _____ ,
   _____ ich Lokomotivführer.
4. Er _____ nie Zeit.
5. Wann _____ du eigentlich
   Geburtstag?
6. Die Lebensmittel _____ von Tag
   zu Tag teurer!
7. Ihr macht das schon. Ihr _____
   doch noch jung!
8. Es _____ ziemlich kalt hier. Ich
   mache lieber die Heizung an.
9. Ich _____ langsam müde. Ich
   gehe am besten bald ins Bett.
10. _____ Sie auch schon Hunger?

3 Past or perfect tense:
Supply the correct forms of *sein*, *haben* and *werden*.

1. ▲ Ich habe letzte Woche dauernd bei dir angerufen.
   ● Tut mir leid, aber da _war_ ich viel unterwegs.
2. ▲ Wo _____ du denn gestern Abend? Warum bist du nicht gekommen?
   ● Ich _____ leider keine Zeit.
3. ▲ Ich _____ letzte Woche krank.
   ● Was _____ Sie denn?
   ▲ Grippe.
4. ▲ Warum hat er uns alle eingeladen?
   ● Er _____ gestern Vater _____ und möchte das mit uns feiern.
5. ▲ Wo _____ ihr denn so lange? Wir warten schon eine halbe Stunde.
   ● Wir _____ Hunger und haben uns noch schnell etwas zu essen gekauft.
6. ▲ Wie _____ denn euer Urlaub? _____ ihr eine schöne Zeit?
   ● Eigentlich schon. Nur _____ leider am dritten Tag das Wetter schlecht, und
   dann _____ es jeden Tag kälter.

4 What must you do here? What can you do?
What mustn't you do?

1. rauchen

5. parken

6. Information bekommen

7. Motorrad fahren

2. telefonieren

3. überholen

4. leise sein

8. parken

1. Hier darf man nicht rauchen.

_____

_____

_____

_____

_____

_____

_____

5 Present tense: Supply the correct form of *müssen* or *sollen*.

1. Du _____ dich beeilen, sonst kommst du zu spät.
2. Er _____ nicht so viel rauchen.
3. Ich _____ heute unbedingt zum Zahnarzt.
4. Deine Kinder _____ bitte leiser sein. Ich möchte schlafen.
5. Er _____ seine Arbeit nicht immer wichtiger nehmen als seine Familie.
6. Ich kann erst etwas später kommen. Ich _____ vorher noch für Oma einkaufen gehen.
7. Einen schönen Gruß von Herrn Breiter. Sie _____ nicht auf ihn warten, er _____ heute noch länger arbeiten.

6 Present tense: Supply the correct form of *können* or *dürfen*.

1. Ich _____ nicht mehr so viel Fleisch essen, weil es zu viel Cholesterin hat.
2. _____ du mir morgen bitte dein Auto leihen?
3. Sie ist erst 15 Jahre alt, deshalb _____ sie noch nicht in die Disco gehen.
4. _____ man hier rauchen?
5. Wir _____ diese Wohnung nicht mieten. Sie ist zu teuer.
6. Am Sonntag _____ ihr doch ausschlafen, oder?
7. Kinder unter 16 Jahren _____ in Deutschland keinen Alkohol kaufen.
8. Herr Petersen ist krank. Er _____ deshalb heute leider nicht kommen.

7 Supply the correct modal verb.

1. Wir _möchten_ jetzt gern
   frühstücken. Kommst du bitte?
   (sollen/möchten/müssen)
2. Mein Mann _____ leider nicht
   mitkommen. Er hat heute keine Zeit.
   (durfte/sollte/konnte)
3. Der Chef lässt Ihnen sagen, dass Sie
   ihn irgendwann anrufen _____ .
   (sollen/wollen/müssen)
4. Sie _____ mich sprechen, hat
   meine Kollegin gesagt?
   (konnten/wollten/durften)
5. _____ ich Ihnen in den Mantel
   helfen? (Muss/Will/Darf)
6. Du _____ noch deine
   Hausaufgaben machen. Vergiss das
   nicht! (kannst/musst/darfst)

9 Change the following sentences
from the perfect into the past tense.

1. Sie hat heute nicht länger arbeiten
   wollen.
   Sie wollte heute nicht länger arbeiten.
2. Der Patient hat viel spazieren gehen
   müssen.
3. Sie hat gestern Abend nicht ins Kino
   gehen dürfen.
4. Er hat den Bericht gestern nicht
   mehr beenden können.
5. Sie haben nicht mitkommen wollen.
6. Wir haben das noch schnell fertig
   machen müssen.
7. Aber du hast doch die Karten kaufen
   sollen!
8. Er hat mir nicht helfen können.

8 Present tense and past tense:
Supply the correct forms of *können, dürfen, müssen, sollen, wollen, möcht-*.

1.	er	_will/wollte_	schlafen	wollen
2.	sie	_____	arbeiten	müssen
3.	ihr	_____	aufhören	sollen
4.	ich	_____	spazieren gehen	wollen
5.	sie (Pl.)	_____	lesen	möcht-
6.	er	_____	ausgehen	dürfen
7.	du	_____	Auto fahren	können
8.	wir	_____	bleiben	müssen
9.	ich	_____	nicht mitkommen	dürfen
10.	Sie	_____	gehen	können
11.	ich	_____	lernen	müssen
12.	du	_____	anfangen	sollen
13.	sie	_____	studieren	wollen
14.	sie	_____	essen	möcht-

10 Past tense: Supply the correct form of *können, müssen* or *dürfen.*

1. Früher _____ wir in kalten Zimmern schlafen.

2. Früher _____ die Kinder in der Schule immer ganz still sitzen. Sie _____ nicht aufstehen. Sie _____ den Lehrer vorher fragen.

3. Früher _____ wir auf der Straße spielen. Heute ist das zu gefährlich.

4. Früher _____ die Schulkinder Uniformen tragen.

5. Früher _____ man nur vormittags in die Schule gehen. Heute gibt es auch Nachmittagsunterricht.

6. Früher _____ wir auch nicht so viele Hausaufgaben machen wie die Kinder heute.

7. Früher _____ wir beim Essen nicht sprechen. Das hat unser Vater verboten.

8. Früher _____ wir auch am Samstag zur Schule gehen.

11 Supply the correct modal verb.

1. ▲ _Musst_ du heute Abend arbeiten oder _____ du mit uns essen gehen?

   ● Ich _____ heute leider arbeiten. Aber vielleicht _____ wir am Wochenende etwas zusammen unternehmen.

2. ▲ _____ Sie Französisch?

   ● Nein, aber ich _____ es auf jeden Fall lernen.

3. ▲ Frag doch mal deine Eltern, ob du mit uns ins Kino _____ .

   ● Ich _____ bestimmt nicht. Sie haben schon gesagt, dass ich heute Abend zu Hause bleiben _____ .

4. ▲ _____ ich Ihnen ein Glas Wein anbieten?

   ● Nein danke, ich _____ lieber ein Mineralwasser.

5. ▲ Das Flugzeug hat Verspätung. Wir _____ noch eine Stunde warten.

   ● Dann _____ wir doch in die Bar gehen und dort warten.

6. ▲ So, wir sind fertig. Sie _____ jetzt nach Hause gehen.

   ● Danke, aber ich _____ gern noch ein bisschen hier bleiben.

12 Present or perfect tense:
Supply the correct forms of *lassen* and *brauchen*.

1. Ihr _____ euch keine Sorgen zu machen.   brauchen/present

2. Warum _____ ihr mich nicht endlich in Ruhe?   lassen/present

3. Wo sind bloß meine Schlüssel? Hoffentlich _____
ich sie nicht in der Wohnung _____ .   lassen/perfect

4. Vielen Dank, aber das kann ich alleine machen.
Du _____ mir nicht zu helfen.   brauchen/present

5. Sein Auto ist schon wieder kaputt. Dabei _____
er es erst vor zwei Wochen reparieren _____ .   lassen/perfect

6. Der Zug fährt erst in zwei Stunden. Wir _____
uns also nicht so zu beeilen.   brauchen/present

13 Supply the correct form of *lassen* or *brauchen*.

1. ▲ Ich habe die Küche schon aufgeräumt.
   ● Danke, das ist sehr nett, aber das hättest du nicht zu machen _____ .

2. ▲ Deine Wohnung sieht ja plötzlich ganz anders aus!
   ● Ja, ich habe sie kürzlich renovieren _____ .

3. ▲ Nie _____ du mich etwas alleine machen!
   ● Das stimmt doch nicht.

4. ▲ Nimmst du immer noch diese starken Tabletten?
   ● Nein. Seit ein paar Tagen habe ich keine Schmerzen mehr, deshalb _____
   ich sie nicht mehr zu nehmen.

5. ▲ Hast du das Kleid selbst genäht?
   ● Nein, das habe ich machen _____ .

6. ▲ Hast du gerade ein bisschen Zeit?
   ● Ja, klar.
   ▲ Ich _____ nämlich deinen Rat.

14 Match up the two parts of the dialogue and supply the verb.

1. ▲ Brauchst du das Auto heute Abend?
    ● *Nein, du kannst es nehmen.*
2. ▲ Mein Hund ist krank, und ich weiß nicht, was er hat.
3. ▲ Hans, mach bitte die Musik leiser. Das stört unsere Gäste.
4. ▲ Muss ich die Briefe heute noch schreiben?
5. ▲ Was macht denn Ihre Tochter nach dem Abitur?
6. ▲ Die Lebensmittelpreise sind in den letzten Jahren sehr gestiegen.
7. ▲ Wie funktioniert denn der DVD-Player?
8. ▲ Wo bleibt denn deine Tochter? Sie wollte doch schon seit einer Stunde
    zurück sein.
9. ▲ Wann kommt denn Christian aus Moskau zurück?
10. ▲ Fahren wir am Sonntag zum Segeln?

a ● Morgen. Ich _____ ihn wahrscheinlich am Flughafen abholen.
b ● Nein, nein, das _____ Sie heute nicht mehr zu tun. Sie _____ gern nach
   Hause gehen.
c ● Nein, du _kannst_ es nehmen.
d ● Ja, ich _____ auch langsam unruhig. Normalerweise ist sie immer
   pünktlich.
e ● Sie _____ Rechtsanwältin _____ und hofft, dass sie gleich einen
   Studienplatz bekommt.
f ● Ich habe schon alles programmiert. Sie _____ ihn nur noch anzumachen.
g ● Dann _____ du zum Tierarzt gehen und ihn untersuchen _____ .
h ● Ja gern, ich _____ aber nicht segeln.
i ● Ach _____ ihn doch seine Musik hören. Das stört uns gar nicht.
j ● Ja, ja, alles _____ teurer.

1	2	3	4	5	6	7	8	9	10
c									

1.2   Verbs
The Tenses

time	past	present	future
possible tenses	perfect tense	present tense	present tense +
	past tense		expression of time
	past perfect tense		future tense

Present

(Präsens) The present tense

Use

present actions or events
▲ Wo ist denn Angela?
● Im Wohnzimmer.
▲ Und was macht sie da?
● Sie sieht fern.

'timeless' truths
Köln liegt am Rhein.
In Paris gibt es viele Museen.

action or state which began in the past and is still going on
▲ Ich wusste nicht, dass du jetzt in Köln wohnst.
● Doch, schon seit drei Jahren.
▲ Arbeitest du dort?
● Nein, ich studiere noch.

Formation

Regular verbs   **fragen**

ich	frage	wir	fragen
du	fragst	ihr	fragt
er, sie, es	fragt	sie, Sie	fragen

exceptions	**arbeiten**	**reisen**	**klingeln**
ich	arbeite	reise	klingle
du	arbeitest	reist	klingelst
er, sie, es	arbeitet	reist	klingelt
wir	arbeiten	reisen	klingeln
ihr	arbeitet	reist	klingelt
sie, Sie	arbeiten	reisen	klingeln

Also:	finden	rasen	würfeln
	leiden		sammeln

Irregular verbs   **lesen**   **nehmen**   **fahren**

ich	lese	nehme	fahre
du	liest	nimmst	fährst
er, sie, es	liest	nimmt	fährt
	…	…	…

Also:	sehen	geben	schlafen
	befehlen	sprechen	laufen

                                 essen   **wissen**

ich	esse	weiß
du	isst	weißt
er, sie, es	isst	weiß
	…	…

Also:	vergessen
	messen

▶ Exercises 1–5

Past

The perfect and past tenses are used to describe events and states in the past.

The perfect tense is predominantly used in everyday speech whereas the past tense is used in written language and with basic verbs.

(Perfekt) The perfect tense

Use

mainly in conversation, in dialogues

▲ Was hast du gestern gemacht?
● Ich bin ins Kino gegangen.
▲ Was hast du denn angeschaut?
● Den neuen Film von Wim Wenders.
▲ Den habe ich auch schon gesehen.
● Und wie hat er dir gefallen?
▲ Sehr gut.

Formation

haben + past participle	*sein* + past participle
Was **hast** du **gemacht**?	Wohin **bist** du **gegangen**?
• most verbs	• verbs of movement (without accusative), e. g. *fahren, kommen, schwimmen:*
Da ist ja das Wörterbuch! Ich habe es schon gesucht.	Ich bin am Wochenende in die Berge gefahren. Warum bist du nicht schon gestern gekommen? Wir sind gestern 1500 m geschwommen.

haben + Partizip II	*sein* + Partizip II
• all reflexive verbs e.g. *sich entscheiden, sich unterhalten*:	• verbs denoting a change of state (intransitive), e.g. *werden, aufwachen*:
Ich habe mich noch nicht entschieden. Er hat sich mit mir unterhalten.	Er ist letzte Woche Vater geworden. Sie ist gerade aufgewacht.
	• *bleiben, sein*:
	Er ist eine Woche in Frankfurt geblieben. Ich bin gestern im Theater gewesen.

The past participle

t-verbs (regular)	ge_____t ___ ge_____t _____t*	hat gekauft, hat geholt, hat gemacht … hat eingekauft, hat abgeholt, hat aufgemacht … (separable verbs) ▶ *separable verbs* see page 46 hat bezahlt, hat erzählt, hat studiert …
n-verbs (irregular)	ge_____en ___ ge_____en _____en*	hat geschrieben, ist gegangen, hat gegessen … hat abgeschrieben, hat angefangen, hat mitgenommen … (separable verbs) hat empfohlen, hat entschieden, hat verlassen …

* Verbs with the prefixes *be-, emp-, ent-, er-, ge-, miss-, ver-, zer-* and verbs ending in *-ieren* do not form the perfect tense with *ge*.

denken, bringen, kennen, nennen, wissen, … (mixed verbs)	ge_____t (with vowel change)	hat gedacht, hat gebracht, hat gekannt, hat genannt, hat gewusst, …
haben, sein		hat gehabt, ist gewesen ▶ see page 11

▶ Exercises 6–12

(Präteritum) The past tense

Use

mainly in written narrative, reports
Als sie gestern Abend nach Hause kam, erschrak sie fürchterlich. Ihre Wohnungstür war offen und …

almost always with basic verbs, modals and ‚geben' (es gab)
▲ Wolltet ihr gestern nicht ins Kino gehen?
● Doch, das wollten wir, aber leider gab es keine Karten mehr.

▶ Formation of the past tense of basic verbs *see pages* 11, 14

Formation

fragen

t-verbs (regular/ weak verbs)

ich	fragte	wir	fragten
du	fragtest	ihr	fragtet
er, sie, es	fragte	sie, Sie	fragten

arbeiten

exceptions

ich	arbeitete	wir	arbeiteten
du	arbeitetest	ihr	arbeitetet
er, sie, es	arbeitete	sie, Sie	arbeiteten

Ebenso: warten, landen, atmen, regnen …

gehen

n-verbs (irregular/ strong verbs)

ich	ging	wir	gingen
du	gingst	ihr	gingt
er, sie, es	ging	sie, Sie	gingen

▶ Exercises 13–17

(Plusquamperfekt) The past perfect tense

Use

The past perfect tense is not used very frequently. It describes an event A which goes even further back in the past than event B. Event B is in the past tense in most cases (in spoken language also often in the perfect tense):

Event A

Event B

Der Regen hatte schon aufgehört, als ich gestern in Rom ankam.

The sentence can also be reversed:

Event B

Event A

Als ich gestern in Rom ankam, hatte der Regen schon aufgehört.

Formation

hatte + past participle

war + past participle

Der Regen hatte zum Glück schon aufgehört, als wir losgingen.

Der Zug war leider schon abgefahren, als ich am Bahnhof ankam.

▶ Exercises 18–19

▶ See exercises 20-22 for differences in the use of the present and past tenses.

Als ich kam, hatten die anderen schon alles aufgegessen.

Future

We normally express an event in the future with the present tense in conjunction with an expression of time (*morgen, heute Abend, nächste Woche, bald ...*).

(Präsens) The present tense

event in the future (present tense + expression of time)
▲ Kommst du am Samstag zu meiner Party?
● Tut mir leid, aber ich fahre am nächsten Wochenende zu meinen Eltern.

▶ Exercise 23

(Futur I) The future tense

An additional meaning is added when using the future tense (*werden* + infinitive)

future + promise
▲ Ich werde dich in deiner neuen Wohnung besuchen.
▲ Wir werden das heute Abend noch einmal besprechen.

future + intention, prediction
▲ Ich werde irgendwann mal nach China fahren.
▲ Wir werden bestimmt eine Lösung finden.

▶ Conjugation of *werden* see page 11

▶ Chapter 1, exercises 5–10

1 Supply the correct verb forms.

1. sie _geht_	gehen
2. ihr _____	schreiben
3. er _____	telefonieren
4. du _____	baden
5. wir _____	machen
6. sie _____	fragen
7. ich _____	spielen
8. du _____	lieben
9. Sie _____	studieren
10. sic (Pl.) _____	schlafen

2 Supply the correct verb forms.

1. Wo _arbeitest_ du? (arbeiten)
2. Er _____ schon lange. (warten)
3. Ich _____ meine Brille nicht. (finden)
4. Wann _____ du? (fahren)
5. Ich _____ es nicht. (wissen)
6. Sylvia und Anna _____ aus Schweden. (kommen)
7. Er _____ mich nie. (grüßen)
8. Wann _____ ihr? (heiraten)
9. Wie _____ du? (heißen)
10. _____ du mir bitte den Stift? (geben)

3 Supply the appropriate verbs.

1. ▲ Wie lange _sind_ Sie schon in Deutschland?
   ● Seit ungefähr einem halben Jahr.
   ▲ Sie _____ ja schon sehr gut Deutsch.
   ● Danke, es _____ so.

2. ▲ Es _____ schon spät. Die letzte U-Bahn _____ in zwanzig Minuten.
   ● Das macht nichts. Ich _____ dich mit meinem Auto nach Hause.
   ▲ Vielen Dank, das _____ sehr nett von dir.

3. ▲ Ich _____ Martin. Und wie _____ du?
   ● Isabel.
   ▲ Und woher _____ du?
   ● Aus Venezuela.
   ▲ Wie lange _____ du schon in Deutschland?
   ● Seit zwei Monaten.

4. ▲ Warum _____ du Oma nicht? Du _____ doch: sie hat viel Arbeit.
   ● Ich _____ nicht, wie ich ihr helfen kann.
   ▲ Warum _____ du sie dann nicht? Sie _____ es dir dann schon.

4 Fill in the verbs in the crossword puzzle.
Use capital letters only.

Across

1. Warum _____ du nicht? Ich habe dich etwas gefragt.
2. Mama, wo _____ du?
3. _____ du keine Süßigkeiten?
4. Ich habe so einen Durst. Ich muss schnell etwas _____ .
5. Ich _____ gern an meine Kindheit.
6. Wo _____ wir uns heute Abend? Vor dem Kino?

Down

7. Mach schnell. Opa _____ schon auf uns.
8. Der Pullover _____ mir nicht. Er ist viel zu groß.
9. Was _____ ihr denn heute Abend? Wollt ihr uns nicht besuchen?
10. Ich _____ schon seit 15 Jahren in dieser Firma.
11. _____ ich Ihnen in den Mantel helfen?
12. Wie _____ du mein neues Kleid? Das habe ich heute gekauft.

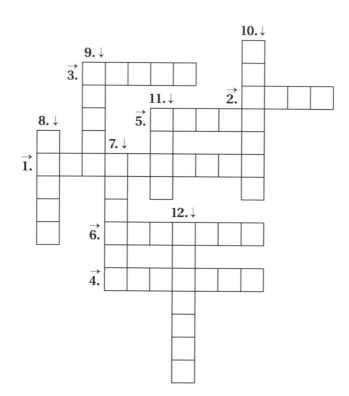

5 Ask questions using *du*.

1. Was empfehlen Sie mir?   *Was empfiehlst du mir?* _____

2. Wohin fahren Sie?   _____

3. Wem helfen Sie gern?   _____

4. Wie lange warten Sie hier schon?   _____

5. Warum vergessen Sie das immer wieder?   _____

6. Warum antworten Sie nicht?   _____

7. Warum nehmen Sie mir die Zeitung weg?   _____

8. Wissen Sie den Namen?   _____

9. Warum werden Sie gleich so böse?   _____

10. Welches Buch lesen Sie gerade?   _____

11. Sind Sie heute Abend zu Hause?   _____

12. Wen laden Sie sonst noch ein?   _____

6 Supply the correct past participle.

```
      angekommen        angerufen        gegessen      geschrieben
  gesagt        empfohlen        ausgemacht        gewesen
```

1. Warum hast du das Radio _____ ?

2. Sind Sie schon einmal in Japan _____ ?

3. Hast du heute schon etwas _____ ?

4. Wann sind Sie _____ ?

5. Warum hast du mir keine Karte aus dem Urlaub _____ ?

6. Warum haben Sie das nicht früher _____ ?

7. Warum hast du denn nicht _____ , wenn du so spät kommst?

8. Wer hat Ihnen dieses Hotel _____ ?

7 Form the past participle and enter it into the appropriate column.

~~laufen~~   bezahlen   sagen   ~~erzählen~~   ~~schenken~~

suchen   probieren   schließen   geschehen

verstehen

holen   studieren   empfehlen   kaufen   entscheiden

~~vergessen~~   singen   gefallen   wohnen

leihen

ge___en	ge___t	___en	___t
gelaufen	geschenkt	vergessen	erzählt
…	…	…	…

8 *Haben* or *sein*: Please complete.

1. ▲ Wie _bist_ du hierher gekommen?
   ● Ich _____ ein Taxi genommen.

2. ▲ Was _____ Sie am Wochenende gemacht?
   ● Ich _____ zum Schwimmen gegangen.

3. ▲ _____ ihr euch schon die Innenstadt angesehen?
   ● Ja, gestern.
   ▲ Und wie _____ es euch gefallen?
   ● Sehr gut. Wir _____ sogar in einer Kirche ein Orgelkonzert gehört.

4. ▲ Warum _____ du denn so müde?
   ● Ich _____ gestern mit einer Freundin in die Disco gegangen. Danach _____ ich lange nicht eingeschlafen. Vielleicht _____ ich auch am Nachmittag zu viel Kaffee getrunken.

5. ▲ _____ Sie schon umgezogen?
   ● Nein, wir _____ die Wohnung noch nicht fertig renoviert.

6. ▲ Wann _____ Sie geboren?
   ● Am 12.1.1968.
   ▲ Und wann _____ Sie mit dem Studium begonnen?
   ● 1988.

9 What did you do last weekend? Make sentences.

1. lange schlafen
   Ich habe lange geschlafen.

2. gemütlich frühstücken

3. in Ruhe Zeitung lesen

4. einen Brief schreiben

5. einen Mittagsschlaf machen

6. spazieren gehen

7. zum Abendessen mit Freunden ins Restaurant gehen

8. einen Film im Fernsehen sehen

10 *Haben* or *sein*: Ask questions using the perfect tense.

```
viel arbeiten
mit dem Auto fahren
etwas Schönes machen
Zeitung lesen
Radio hören
jemandem helfen
spazieren gehen
Essen kochen
schwimmen
früh aufstehen
eine Liebeserklärung machen
Fahrrad fahren
```

1. *Haben Sie heute viel gearbeitet?*

2. *Sind Sie heute früh aufgestanden?*

3. _____

4. …

11 Supply the infinitive.

1. gerannt — *rennen*

2. geflossen — _____

3. geschienen — _____

4. gehangen — _____

5. getroffen — _____

6. geraten — _____

7. gelegen — _____

8. gewusst — _____

9. gekannt — _____

10. geschnitten — _____

11. weggenommen — _____

12. gestritten — _____

13. gestiegen — _____

14. begonnen — _____

15. abgebrochen — _____

16. gelungen — _____

17. gehoben — _____

18. geschwiegen — _____

19. verglichen — _____

20. gestohlen — _____

21. gewogen — _____

22. gestorben — _____

23. gefangen — _____

24. überwiesen — _____

25. verziehen — _____

12 Supply the verbs in the perfect tense.

1. Franz _hat_ sich um einen Job bei der Post _beworben_ .   bewerben
2. Beeil dich! Der Film _____ vor zehn Minuten _____ .   beginnen
3. Wie _____ denn der Film _____ , den wir   heißen
   letzte Woche im Kino _____ _____ ?   sehen
4. Er _____ sehr lange unter der Trennung von seiner   leiden
   Freundin _____ .
5. Wer _____ das Spiel _____ ? Chelsea oder   gewinnen
   Real Madrid?
6. Ah, meine Brille! Wo _____ du sie denn _____ ?   finden
7. Was _____ du gestern Abend _____ ?   trinken
8. Das ist mein Platz! Hier _____ immer ich _____ .   sitzen
9. In welchem Jahr _____ Mozart _____ ?   sterben
10. Den ganzen Tag hat es geregnet, aber am Abend _____   werden
    es plötzlich wieder schön _____ .
11. Warum _____ Sie mich gestern nicht mehr _____ ?   anrufen

13 The past tense: Supply the correct forms.

1. sie _machte_	machen	10. es _____	regnen
2. du _____	fragen	11. Sie _____	zahlen
3. ich _____	stellen	12. ihr _____	kaufen
4. sie _____	lieben	13. sie (Pl.) _____	holen
5. er _____	arbeiten	14. wir _____	legen
6. ihr _____	warten	15. ich _____	reisen
7. wir _____	reden	16. er _____	hängen
8. sie (Pl.) _____	hoffen	17. du _____	grüßen
9. du _____	lachen	18. Sie _____	kochen

14 Form the past tense (third person singular) and enter it into the appropriate column.

	infinitive	with vowel change	without vowel change
1.	bieten	_er bot_	_____
2.	antworten	_____	_er antwortete_
3.	bleiben	_____	_____
4.	stellen	_____	_____
5.	stehen	_____	_____
6.	hängen	_____	_____
7.	machen	_____	_____
8.	wissen	_____	_____
9.	nennen	_____	_____
10.	zählen	_____	_____
11.	erschrecken	_____	_____
12.	heben	_____	_____

15 Supply the verb in the past tense.

	present tense	past tense	perfect tense
1.	Der Unterricht fängt an.	_fing an_	hat angefangen
2.	Sie bringt mir ein Geschenk.	_____	hat gebracht
3.	Der Arzt verbindet die Wunde.	_____	hat verbunden
4.	Er zieht sich um.	_____	hat sich umgezogen
5.	Die Katze frisst die Maus.	_____	hat gefressen
6.	Der Bus hält hier nicht.	_____	hat gehalten
7.	Sie lädt Sarah zur Party ein.	_____	hat eingeladen
8.	Er läuft schnell.	_____	ist gelaufen
9.	Sie kommt auch.	_____	ist gekommen
10.	Das Baby schreit viel.	_____	hat geschrien
11.	Sie treibt viel Sport.	_____	hat getrieben
12.	Er verzeiht mir die Lüge.	_____	hat verziehen

16 Supply the infinitive.

1. stahl   _stehlen_
2. verglich   _____
3. roch   _____
4. sandte   _____
5. zwang   _____
6. warf   _____
7. betrog   _____
8. nahm   _____
9. schwieg   _____
10. fror   _____

17 Arrival in Frankfurt
Report: Supply the correct verb forms in the past tense.

> gehen   ~~ankommen~~
> nehmen   auspacken
> essen   fahren   gehen
> suchen   gehen
> empfehlen   kennen
> duschen   haben   sein

Ich _kam_ um 17.13 Uhr am Hauptbahn-
hof _an_ (1). Als Erstes _____ (2) ich
mir ein Hotel. Da ich keine Hotels in
Frankfurt _____ (3), _____ (4) ich
zur Touristeninformation.
Dort _____ (5) man mir ein sehr
schönes, kleines Hotel im Zentrum.
Ich _____ (6) ein Taxi und _____ (7)
in das Hotel. Dort _____ ich meine
Koffer _____ (8) und _____ (9).
Danach _____ (10) ich ins Restaurant
und _____ (11) sehr viel, da ich großen
Hunger _____ (12). Schließlich
_____ (13) ich sehr müde und
_____ (14) ins Bett.

18 The past perfect tense:
Supply the answers.

1. ▲ Warum mussten Sie noch einmal
   nach Hause zurückfahren?
   (meinen Pass vergessen)
   ● _Weil ich meinen Pass vergessen_
   hatte.

2. ▲ Warum konntest du die Tür
   nicht aufschließen?
   (den Schlüssel nicht
   mitgenommen)
   ● _____
   _____

3. ▲ Warum durftest du nicht
   mitkommen?
   (meine Eltern verbieten es)
   ● _____
   _____

4. ▲ Warum mussten Sie gestern so
   lange im Büro bleiben?
   (der Chef bitten mich darum)
   ● _____
   _____

5. ▲ Warum konntest du nichts zu
   essen einkaufen?
   (die Geschäfte schon
   geschlossen)
   ● _____
   _____

6. ▲ Warum bist du gestern Abend
   nicht länger geblieben?
   (plötzlich müde werden)
   ● _____
   _____

19 The past perfect tense: Supply the correct verb forms.

spülen	beenden	~~essen~~	einpacken	aufhören
werden	heimgehen	einladen	vergessen	

1. Als ich gestern Abend nach Hause kam, _hatten_ meine Eltern schon _gegessen_ .
2. Bis wir alles _____ _____ , war es schon zu spät.
3. Bis ich morgens aufstand, _____ mein Mann bereits das ganze Geschirr von der Party _____ .
4. Ich war am Wochenende in Paris. Eine Freundin _____ mich _____ .
5. Als wir in Bremen ankamen, _____ der Regen schon _____ und es _____ zum Glück auch wärmer _____ .
6. Als ich zur Party kam, _____ die meisten Gäste bereits _____ .
7. Als ich ihn kennenlernte, _____ er schon sein Studium _____ .
8. Inge ging noch schnell einmal nach Hause zurück, weil sie ihre Fahrkarte _____ _____ .

20 Present tense and perfect tense: Please write short dialogues.

Britta did everything differently today. A friend asks her about her normal habits.

normally	*today*
1. mit dem Bus ins Büro fahren ▲ *Fährst du immer mit dem Bus ins Büro?*	Auto ● *Normalerweise ja, aber heute bin ich mit dem Auto gefahren.*
2. um 7.00 Uhr aufstehen	8.30 Uhr
3. um 8.30 Uhr mit der Arbeit anfangen	10.00 Uhr
4. mittags im Café essen	ein Sandwich im Büro essen
5. um 17.00 Uhr nach Hause fahren	19.00 Uhr
6. auf dem Rückweg vom Büro einkaufen	direkt nach Hause fahren
7. abends Freunde treffen	allein zu Hause bleiben
8. um 23.00 Uhr ins Bett gehen	22.00 Uhr

21 Present, past or perfect tense: Supply the correct verb forms.

Der Wettlauf zwischen dem Hasen und dem Igel

Es _____ (sein) an einem schönen Sonntagmorgen im Herbst. Frau Igel _____ (waschen) gerade ihre Kinder und _____ sie _____ (anziehen). Inzwischen _____ ihr Mann auf dem Feld _____ (spazieren gehen). Er _____ (sein) noch nicht weit weg, da _____ (treffen) er den Hasen. Er _____ (grüßen) ihn fröhlich:

5 „Guten Morgen, Meister Lampe!" Aber der Hase, der ein vornehmer und unhöflicher Herr _____ (sein), _____ (antworten) ihm nicht. Er _____ (sagen) erst nach einer Weile: „Was _____ (machen) du hier schon so früh am Morgen auf dem Feld?" – „Ich _____ _____ " (spazieren gehen), _____ (sagen) der Igel. – „Spazieren?" _____ (lachen) der Hase, „Du mit deinen kleinen, krummen Beinen?"

10 Das _____ (ärgern) den Igel sehr und er _____ (sagen): „_____ (glauben) du, dass du mit deinen Beinen schneller laufen _____ (können) als ich?" – „Aber natürlich", _____ (antworten) der Hase. Da _____ der Igel _____ (vorschlagen): „Machen wir doch einen Wettlauf. Ich werde dich überholen!" – „Das _____ (sein) ja zum Lachen!", _____ (rufen) der Hase. „Du mit deinen krummen

15 Beinen! Aber wir _____ (können) es ja versuchen. Was _____ (bekommen) der Sieger?" – „Ein Goldstück und eine Flasche Schnaps." – „Gut, _____ wir gleich _____ (anfangen)!" – „Moment", _____ (sagen) der Igel, „ich _____ (müssen) erst noch frühstücken. In einer halben Stunde _____ (sein) ich wieder hier." Als der Igel zu Hause _____ (ankommen), _____ (rufen) er seine Frau und

20 _____ (sagen): „Ich _____ mit dem Hasen um eine Flasche Schnaps und ein

Goldstück _____ (wetten), dass ich schneller laufen _____ (können) als er. Zieh dich schnell an und komm mit." – „Ach du lieber Gott, _____ (sein) du verrückt?" – „Keine Sorge, komm einfach mit."

Unterwegs _____ (sagen) der Igel zu seiner Frau: „Pass gut auf! Wir _____
25 (machen) den Wettlauf auf dem langen Feld. Der Hase _____ (laufen) auf dem einen Weg, ich _____ (laufen) auf dem anderen. Da oben _____ wir _____ (anfangen). Stell dich hier unten hin. Wenn der Hase _____ (ankommen), dann _____ (rufen) du: ‚Ich _____ (sein) schon da!'"

Der Igel _____ (gehen) nach oben zum Hasen. „_____ wir _____
30 (anfangen)?" – „Ja, gut." – „Also, eins – zwei – drei", _____ (zählen) der Hase und _____ (rennen) los. Der Igel _____ (machen) nur drei Schritte und _____ (bleiben) dann sitzen. Als der Hase unten _____ (ankommen), _____ (rufen) die Igelfrau: „Ich _____ (sein) schon da!" Der Hase _____ (sein) total überrascht und _____ (rufen): „Noch einmal!" und _____ (rennen) wieder
35 zurück. Als er oben _____ (ankommen), _____ (rufen) der Igelmann: „Ich _____ (sein) schon da!" – „Noch einmal!", _____ (schreien) der Hase und _____ (rennen) wieder los. So _____ (laufen) der Hase noch dreiundsiebzig Mal, und immer _____ (hören) er: „Ich _____ (sein) schon da!"

Beim vierundsiebzigsten Mal _____ (bleiben) der Hase tot liegen. Der Igel
40 _____ (nehmen) das Goldstück und die Flasche Schnaps, _____ (rufen) seine Frau, und beide _____ (gehen) glücklich nach Hause. Und wenn sie nicht _____ _____ (sterben), dann _____ (leben) sie noch heute.

based on a fairy tale by the Grimm Brothers

22 Perfect or past perfect tense: Supply the correct verb forms.

> Remember: present tense + perfect tense
> past tense + past perfect tense

1. Ich bin heute sehr müde, weil ich letzte Nacht zu wenig
   _____ .   schlafen

2. Sie wollte nicht mit ins Kino, weil sie den Film schon
   letzte Woche _____ .   sehen

3. Er ging so schnell er konnte, aber als er am Bahnhof
   ankam, _____ der Zug gerade _____ .   abfahren

4. Ich möchte jetzt nichts mehr essen, denn ich _____
   vorhin schon etwas _____ .   essen

5. _____ Sie die Post schon _____ ?   abschicken

6. Die Party war ein großer Erfolg. Wir _____ auch alles
   gut _____ .   vorbereiten

23 Future tense: Ask questions.

1. am – was – du – Wochenende – machen
   Was machst du am Wochenende?

2. heute Abend – Kino – mit mir – du – ins – gehen

3. wie lange – im – du – Sommer – Urlaub machen

4. wann – mich – besuchen – Sie

5. morgen – spazieren gehen – wir

6. Sonntag – wir – am – schwimmen gehen

7. nächstes Jahr – in die – wieder – Sie – fliegen – USA

8. nach der Arbeit – gehen – ins – Café – wir – noch

1.3 Verbs
Irregular Verbs

Infinitive (3rd person sing.)	Past tense	Perfect tense
abbiegen	bog ab	ist abgebogen
anbieten	bot an	hat angeboten
anfangen (fängt an)	fing an	hat angefangen
backen (bäckt)	backte/buk	hat gebacken
beginnen	begann	hat begonnen
betrügen	betrog	hat betrogen
beweisen	bewies	hat bewiesen
bewerben (bewirbt)	bewarb	hat beworben
bitten	bat	hat gebeten
bleiben	blieb	ist geblieben
braten (brät)	briet	hat gebraten
brechen (bricht)	brach	hat gebrochen
brennen	brannte	hat gebrannt
bringen	brachte	hat gebracht
denken	dachte	hat gedacht
dürfen (darf)	durfte	(hat gedurft/hat … dürfen)*
empfehlen (empfiehlt)	empfahl	hat empfohlen
entscheiden	entschied	hat entschieden
erschrecken (erschrickt)	erschrak	ist erschrocken
essen (isst)	aß	hat gegessen
fahren (fährt)	fuhr	ist gefahren
fallen (fällt)	fiel	ist gefallen
finden	fand	hat gefunden
fliegen	flog	ist geflogen
fließen	floss	ist geflossen
fressen (frisst)	fraß	hat gefressen
frieren	fror	hat gefroren
geben (gibt)	gab	hat gegeben
gehen	ging	ist gegangen
gelingen	gelang	ist gelungen
gelten (gilt)	galt	hat gegolten
geschehen (geschieht)	geschah	ist geschehen
gewinnen	gewann	hat gewonnen

haben (hat)	hatte	hat gehabt
halten (hält)	hielt	hat gehalten
hängen	hing	hat gehangen
heben	hob	hat gehoben
heißen	hieß	hat geheißen
helfen (hilft)	half	hat geholfen
kennen	kannte	hat gekannt
kommen	kam	ist gekommen
können (kann)	konnte	(hat gekonnt/hat … können)*
laden (lädt)	lud	hat geladen
lassen (lässt)	ließ	hat gelassen
laufen (läuft)	lief	ist gelaufen
leiden	litt	hat gelitten
leihen	lieh	hat geliehen
lesen (liest)	las	hat gelesen
liegen	lag	ist/hat gelegen
messen (misst)	maß	hat gemessen
mögen (mag)	mochte	hat gemocht
müssen (muss)	musste	(hat gemusst/hat … müssen)*
nehmen (nimmt)	nahm	hat genommen
nennen	nannte	hat genannt
raten (rät)	riet	hat geraten
riechen	roch	hat gerochen
rufen	rief	hat gerufen
scheinen	schien	hat geschienen
schieben	schob	hat geschoben
schlafen (schläft)	schlief	hat geschlafen
schlagen (schlägt)	schlug	hat geschlagen
schließen	schloss	hat geschlossen
schneiden	schnitt	hat geschnitten
schreiben	schrieb	hat geschrieben
schreien	schrie	hat geschrien
schweigen	schwieg	hat geschwiegen
schwimmen	schwamm	ist geschwommen
sehen (sieht)	sah	hat gesehen
sein (ist)	war	ist gewesen
senden	sandte	hat gesandt**
	sendete	hat gesendet
singen	sang	hat gesungen

sinken	sank	ist gesunken
sitzen	saß	ist/hat gesessen
sprechen (spricht)	sprach	hat gesprochen
springen	sprang	ist gesprungen
stehen	stand	ist/hat gestanden
stehlen (stiehlt)	stahl	hat gestohlen
steigen	stieg	ist gestiegen
sterben (stirbt)	starb	ist gestorben
streiten	stritt	hat gestritten
tragen (trägt)	trug	hat getragen
treffen (trifft)	traf	hat getroffen
treiben	trieb	hat getrieben
treten (tritt)	trat	hat getreten
trinken	trank	hat getrunken
tun	tat	hat getan
überweisen	überwies	hat überwiesen
verbieten	verbot	hat verboten
verbinden	verband	hat verbunden
vergessen (vergisst)	vergaß	hat vergessen
vergleichen	verglich	hat verglichen
verlieren	verlor	hat verloren
verzeihen	verzieh	hat verziehen
wachsen (wächst)	wuchs	ist gewachsen
waschen (wäscht)	wusch	hat gewaschen
wenden	wandte	hat gewandt**
	wendete	hat gewendet
werden (wird)	wurde	ist geworden
werfen (wirft)	warf	hat geworfen
wiegen	wog	hat gewogen
wissen (weiß)	wusste	hat gewusst
ziehen	zog	hat gezogen
zwingen	zwang	hat gezwungen

* ▶ page 15

** *senden*: Die letzten Nachrichten werden um Mitternacht gesendet. (radio, television)
Er hat mir einen Brief gesandt. (mail)
wenden: In dieser Sache wandte er sich an einen Rechtsanwalt.
Sie hat den Wagen vor dem Haus gewendet.

1.4 Verbs
Separable and Inseparable verbs

There are verbs without prefixes, verbs with separable prefixes and verbs with inseparable prefixes.

Er *fängt* den Ball.
Der Unterricht *fängt* um 9.00 Uhr *an*.
Der Unterricht *beginnt* um 9.00 Uhr.

	separable verbs	inseparable verbs
	anfangen	**beginnen**
Present tense	ich fange … an	ich beginne …
Past tense	ich fing … an	ich begann …
Perfect tense	ich habe … angefangen	ich habe … begonnen
with modal verbs	ich möchte … anfangen	ich möchte … beginnen
Question	Wann fängst du … an?	Wann beginnst du …?
	Fängst du … an?	Beginnst du …?
Imperative	Fang an!	Beginne!
Infinitive with *zu*	Ich denke, bald … anzufangen.	Ich denke, bald … zu beginnen.

Also:

ich fahre … **ab**	ich **be**ginne
ich komme … **an**	ich **emp**fehle
ich mache … **auf/zu**	ich **ent**scheide
ich gehe … **aus**	ich **er**zähle
ich arbeite … **zusammen**	ich **ge**falle
ich kaufe … **ein**	ich **miss**verstehe
ich stelle … **fest**	ich **ver**stehe
ich fahre … **hin**	ich **zer**störe

- Verbs with the following prefixes are always inseparable:

be-	ent-	ge-	ver-
emp-	er-	miss-	zer-

- Verbs with a prefix that can be a word in its own right are mostly separable. The most important prefixes in this group are:

ab-	bei-	mit-	weiter-
an-	ein-	nach-	zu-
auf-	fest-	vor-	zurück-
aus-	los-	weg-	zusammen-

- However, some verbs have prefixes that can be both separable and inseparable:

durch-	über-	unter-	wider-
hinter-	um-	voll-	wieder-

Ich **steige** in Frankfurt **um**.	concrete meaning → separable
Wir **wiederholen** die Lektion.	abstract meaning → inseparable

At elementary level the following verbs in this group are important:

inseparable	über-	er überfährt	er überrascht
		er überholt	er überredet
		er überlegt	er übersetzt
		er übernachtet	er überträgt
		er übernimmt	er überweist
		er überquert	er überzeugt
	unter-	er unterhält (sich)	er unterschreibt
		er unternimmt	er unterstützt
		er unterrichtet	er untersucht
		er unterscheidet	
	wider-	er widerspricht	
	wieder-	er wiederholt	
separable	um-	er steigt … um	er tauscht … um
		er zieht … um	

▶ Exercises 1–7

▶ 💿 Chapter 1, exercises 11–12

1 Verbs

1 Present tense: Make sentences.

Was macht eine Hausfrau?

1. früh aufstehen
   Sie steht früh auf.

2. das Baby anziehen

3. die Tochter im Kindergarten abgeben

4. Lebensmittel einkaufen

5. Brot mitbringen

6. die Waschmaschine anmachen

7. die Tochter vom Kindergarten abholen

2 Change the sentences from exercise 1 into the perfect tense.

Was hat sie den ganzen Tag gemacht?
1. *Sie ist früh aufgestanden.*
   ...

3 Present tense: Put in the 3rd person sg. and in the right column.

weggehen	versuchen
bezahlen	weglaufen
bestellen	zurückgeben
missverstehen	vergleichen
entschuldigen	gehören
mitarbeiten	abfliegen
ausfallen	~~erlauben~~
vorstellen	einschließen
~~zurückschauen~~	

trennbar	untrennbar
er schaut ... zurück	*er erlaubt*
...	...

4 Present tense: Make sentences using the verbs given below.

1. abfahren   *Der Zug fährt bald ab.*
2. empfehlen
3. zurückkommen
4. abgeben
5. verstehen
6. aufstehen
7. anrufen
8. erlauben
9. entscheiden
10. wegfahren

48

5 Present tense: Turn your sentences from exercise 4 into questions.

1. *Fährt der Zug bald ab?*
...

6 Perfect tense: Make sentences.

1. die Haustür – abschließen – er – nicht
   Er hat die Haustür nicht abgeschlossen.

2. das Rauchen – der Arzt – mir – verbieten

3. wann – aufstehen – du – heute?

4. die unregelmäßigen Verben – ihr – wiederholen?

5. sie – im Schlafzimmer – verstecken – ihr ganzes Geld

6. warum – noch nicht – du – dich – umziehen?

7. nach zwei Stunden – der Direktor – beenden – die Diskussion

8. meine kleine Tochter – dieses schöne Glas – zerbrechen – leider

9. Papa – noch nicht – anrufen

10. anfangen – wann – der Film?

7 Which verbs are separable, which are inseparable?

1. *Drehen* Sie das Steak nach drei Minuten *um* .   umdrehen

2. Er *versteht* keinen Spaß ——— .   verstehen

3. Bitte _____ Sie doch schon mit dem Essen _____ .   beginnen

4. Wer von euch _____ mit mir nachher die Wohnung _____ ?   aufräumen

5. _____ dir doch eine Pizza beim Pizza-Service _____ .   bestellen

6. Warum _____ du sie nicht _____ ?   anrufen

7. Er _____ immer so lustige Geschichten _____ .   erzählen

8. Sie _____ sich immer erst in letzter Minute _____ .   entscheiden

1.5 Verbs
Reflexive Verbs

Use

*Verbs which are **only** used reflexively*

sich beeilen   Kannst du **dich** bitte beeilen.
                                  ↓
                       accusative (only object)

sich etwas   Ich habe **mir** diese Entscheidung gut überlegt.
überlegen   ↓   ↓
                     dative   accusative

*Verbs which can **also** be used reflexively*

anziehen   Ich ziehe den Mantel an.
                        ↓
                     accusative

sich anziehen   Ich ziehe **mich** an.
                       ↓
                     accusative

               Ich ziehe **mir** einen Pullover an.
                     ↓   ↓
                     dative accusative

Verbs expressing a reciprocal meaning

lieben   Er liebt sie und sie liebt ihn.
               Sie lieben **sich**. Sie lieben **einander**.

a reciprocal meaning used in conjunction with a preposition

               Er ist glücklich mit ihr und sie ist
               glücklich mit ihm.
               Sie sind glücklich **miteinander**.
                            ↑
               preposition + *einander*

The reflexive pronoun in the clause

Ich habe	**mich**	im Urlaub gut erholt.
Im Urlaub habe ich	**mich**	gut erholt.
Er hat erzählt, dass er	**sich**	im Urlaub gut erholt hat.

important verbs which are used reflexively

sich amüsieren	Wir haben uns auf der Party gut amüsiert.
sich aufregen	Sie hat sich sehr über ihren Chef aufgeregt.
sich bedanken	Ich möchte mich ganz herzlich für die Blumen bedanken.
sich beeilen	Beeil dich bitte!
sich bemühen	Die Aufgabe ist nicht so schwierig. Du musst dich nur ein bisschen bemühen.
sich beklagen	Sie beklagt sich immer über alles. Nichts gefällt ihr.
sich beschweren	Er hat sich beim Kellner über das schlechte Essen beschwert.
sich entschließen	Wir haben uns zu einem Kurzurlaub entschlossen.
sich erholen	Habt ihr euch im Urlaub gut erholt?
sich erkälten	Er hat sich beim Radfahren erkältet.
sich erkundigen	Haben Sie sich schon nach einer Zugverbindung erkundigt?
sich freuen	Wir haben uns sehr über Ihren Besuch gefreut.
sich irren	Tut mir leid, da habe ich mich wohl geirrt.
sich kümmern	Er kümmert sich sehr um seine kranke Frau.
sich verabreden	Wir haben uns für heute Abend verabredet.
sich verabschieden	Einen Moment bitte. Ich muss mich noch verabschieden.
sich verlieben	Sie hat sich schon wieder verliebt.
sich vorstellen	Darf ich mich vorstellen? Ich heiße Peter Kramer.

Formation

	accusative			dative	
ich freue	**mich**	Ich ziehe	**mir**		eine Jacke an.
du freust	**dich**	Du ziehst	**dir**		eine Jacke an.
er, sie, es freut	sich	Er zieht	sich		eine Jacke an.
wir freuen	uns	Wir ziehen	uns		eine Jacke an.
ihr freut	euch	Ihr zieht	euch		eine Jacke an.
sie, Sie freuen	sich	Sie ziehen	sich		eine Jacke an.

Apart from the third person singular and plural (*sich*) all forms are identical with the personal pronoun.

▶ Exercises 1–3

Remember:
The reflexive pronoun is in the accusative if it is the only object in the clause.
▶ Exception: *Verbs + dative* see page 195

Ich habe mich im Urlaub gut erholt.
       ↓
      acc.

If there are two objects in the clause, the person is in the dative (reflexive pronoun), the thing in the accusative.

Ich ziehe mir eine Jacke an.
      ↓   ↓
    dat. acc.

▶ *The verbs and its complements* see pages 194–196

▶ Chapter 1, exercise 13

1 Supply the reflexive pronoun in the accusative.

1. Ich ziehe _mich_ aus.
   (sich ausziehen)
2. Sie hat _____ verliebt.
   (sich verlieben)
3. Ich kann _____ nicht erinnern.
   (sich erinnern)
4. Wir haben _____ verlaufen.
   (sich verlaufen)
5. Ihr habt _____ geirrt.
   (sich irren)
6. Sie verstehen _____ sehr gut.
   (sich verstehen)
7. Du wunderst _____ .
   (sich wundern)
8. Er wäscht _____ .
   (sich waschen)
9. Wir treffen _____ heute Abend.
   (sich treffen)
10. Ich habe _____ schon bedankt.
    (sich bedanken)
11. Du hast _____ beschwert.
    (sich beschweren)
12. Habt ihr _____ endlich
    entschieden?
    (sich entscheiden)

3 Supply the reflexive pronoun in the accusative or dative.

1. ▲ Warum wäschst du _____
   schon wieder die Haare?
   ● Weil ich heute Abend noch
   ausgehe.
2. ▲ Was ist denn passiert?
   ● Ich habe _____ die linke
   Hand verbrannt.
3. ▲ Zieh _____ bitte um, wir
   müssen gehen.
   ● Was soll ich _____ denn
   anziehen? Den Mantel oder die
   Jacke?
4. ▲ Ich kann _____ deine
   Telefonnummer einfach nicht
   merken.
   ● Dann schreib sie _____ doch
   endlich mal auf.
5. ▲ Ich möchte _____ für meine
   Verspätung entschuldigen.
   Ich habe den Zug verpasst.
   ● Dafür brauchen Sie _____
   doch nicht zu entschuldigen.
   Das kann jedem passieren.
6. ▲ Nehmen Sie _____ doch
   noch etwas Kuchen.
   ● Nein, danke. Ich bin wirklich
   satt.

2 Supply the reflexive pronoun in the dative.

1. Ich habe _mir_ das Buch gerade angesehen.
2. Kannst du _____ denn kein besseres Fahrrad leisten?
3. Ich kann _____ nicht vorstellen, dass das richtig ist.
4. Es wird sicher kalt. Zieh _____ lieber noch eine warme Jacke an.
5. Wir interessieren _____ sehr für unsere Kinder.
6. Habt ihr _____ das auch gut überlegt?
7. Wasch _____ bitte die Hände, sie sind ganz schmutzig.
8. Ich habe _____ sein Fahrrad für ein paar Tage geliehen.

53

1.6 Verbs
The Infinitive

Almost all verbs have the ending -*en* in the infinitive (e.g. *fragen*), only a few verbs
have the ending -*n* (e.g. *sein, tun, erinnern, lächeln*).

The infinitive without *zu*

with ‚werden' (future tense, subjunctive II)
Ich werde dich bestimmt besuchen.
Ich würde gern Chinesisch lernen.

with modal verbs
Ich muss jetzt gehen.
Ich möchte gern segeln lernen.

with the verbs

lassen, hören, sehen, fühlen	bleiben, gehen, fahren, helfen, lernen
Present tense Ich lasse mir die Haare schneiden. Ich höre sie kommen.	Bleiben Sie bitte sitzen! Ich gehe jetzt einkaufen.
Perfect tense *‚haben' + infinitive + infinitive* Ich habe mir die Haare schneiden lassen. Ich habe sie kommen hören.	*‚sein'/‚haben' + past participle* Ich bin sitzen geblieben. Ich bin einkaufen gegangen. Ich habe surfen gelernt.

in commands
Bitte nicht rauchen!
Fenster schließen!

The infinitive with *zu*

Most verbs require the infinitive with *zu*. This also applies to verbs which are used in conjunction with another verb. The most important verbs in this group are:

anfangen/beginnen	Ich habe angefangen zu lernen.
aufhören	Es hat aufgehört zu regnen.
beschließen/entscheiden	Wir haben beschlossen zu streiken.
bitten	Ich habe dich nicht gebeten zu helfen.
erlauben	Ich habe dir nicht erlaubt auszugehen*.
sich freuen	Ich freue mich zu kommen.
haben (Angst, Zeit, Lust …)	Ich habe keine Lust zurückzufahren*.
raten	Ich rate Ihnen zu bleiben.
verbieten	Er hat uns verboten zu rauchen.
vergessen	Ich habe vergessen einzukaufen*.
versprechen	Er hat versprochen zu kommen.
versuchen	Er hat versucht zu schlafen.
vorhaben	Ich habe vor zu fahren.
vorschlagen	Ich schlage vor zu warten.

* In separable verbs *zu* is placed between the prefix and the main verb, the whole being written as a single word.

▶ Exercises 1–3   ▶ Subordinate clauses with *um … zu, ohne … zu, anstatt … zu* see pages 214–216

The infinitive used as a noun

The infinitive of almost any verb may be used as a noun. Such nouns are neuter and are spelled with a capital letter.

Ich habe *das Fehlen* des Passes erst am nächsten Tag bemerkt.
Das Rauchen ist im Büro verboten.

▶ Chapter 1, exercise 14

1 Infinitive with or without *zu*?

1. Du sollst nicht so laut ___ sprechen.
2. Ich hoffe, Sie bald wieder___sehen.
3. Wir haben schon angefangen ___ kochen.
4. Hören Sie ihn schon ___ kommen?
5. Sehen Sie die Kinder auf der Straße ___ spielen?
6. Du sollst leise ___ sein!
7. Er hat mir angeboten, mit seinem Auto ___ fahren.
8. Warum lassen Sie den alten Fernseher nicht ___ reparieren?
9. Wir werden ganz bestimmt ___ kommen.
10. Mein Vater hat mir verboten, mit dir in Urlaub ___ fahren.
11. Ich helfe dir das Geschirr ___ spülen.
12. Setzen Sie sich doch. – Nein danke, ich bleibe lieber ___ stehen.
13. Er hat nie Zeit, länger mit mir ___ sprechen.
14. Ich gehe nicht gern allein ___ schwimmen.

2 Make sentences in the present tense.

1. Ich – sich vornehmen – pünktlich kommen
   Ich nehme mir vor, pünktlich zu kommen.
2. Wir – nächste Woche – Zeit haben – unsere Freunde besuchen
3. Er – nicht wollen – mitkommen
4. Wir – hoffen – ihn – dazu überreden – noch
5. Leider – er – fast nie – Lust haben – reisen
6. Er – würde – am liebsten – immer zu Hause – bleiben
7. Aber – wir – gehen – gern – Kleidung einkaufen – in Paris
8. Ich – weinen – höre – das Baby

3 Supply an appropriate infinitive clause.

1. Ich habe keine Angst, *nachts im Park spazieren zu gehen.*
2. Ich habe heute keine Lust, _____
3. Es macht mir Spaß, _____
4. Ich gebe mir viel Mühe, _____
5. Ich zwinge niemanden, _____
6. Ich freue mich darauf, _____

1.7 Verbs
The Imperative

Use

request
Kommen Sie bitte hierher!
Leih mir bitte mal dein Wörterbuch!

advice
Iss nicht so viele Süßigkeiten!
Geh doch mal wieder schwimmen!

invitation (friendly)
Setzen Sie sich doch!
Nimm doch noch ein Stück Kuchen!

order (unfriendly)
Macht sofort das Fenster zu!
Geh weg!

It is more polite to use the subjunctive II in requests and when giving advice:

Würden Sie bitte hierher kommen?
Könntest du mir bitte mal dein Wörterbuch leihen?
Du solltest nicht so viele Süßigkeiten essen.
Du solltest mal wieder schwimmen gehen.

▶ *Subjunctive II* see pages 66–69

Formation

	Present tense	Imperative
du	du kommst	Komm!
ihr	ihr kommt	Kommt!
Sie	Sie kommen	Kommen Sie!

Special features	du (Singular)	ihr (Plural)	Sie (polite form)
	haben, sein, werden		
haben	Hab keine Angst!	Habt keine Angst!	Haben Sie keine Angst!
sein	Sei leise!	Seid leise!	Seien Sie leise!
werden	Werd(e) glücklich!	Werdet glücklich!	Werden Sie glücklich!
	separable verbs		
anfangen	Fang schon mit dem Essen an!	Fangt schon mit dem Essen an!	Fangen Sie schon mit dem Essen an!
	irregular verbs with vowel change e/i		
lesen	Lies den Text!	Lest den Text!	Lesen Sie den Text!
essen	Iss langsamer!	Esst langsamer!	Essen Sie langsamer!
	irregular verbs with ä-umlaut in the singular		
laufen	Lauf schneller!	Lauft schneller!	Laufen Sie schneller!
fahren	Fahr nach Hause!	Fahrt nach Hause!	Fahren Sie nach Hause!
schlafen	Schlaf nicht so lange!	Schlaft nicht so lange!	Schlafen Sie nicht so lange!
	verbs ending in -eln, -ern		
klingeln	Klingle zweimal!	Klingelt zweimal!	Klingeln Sie zweimal!
ändern	Änd(e)re nichts!	Ändert nichts!	Ändern Sie nichts!

▶ Exercises 1–5

▶ 💿 Chapter 1, exercise 15

1 **What does your teacher say?**
Make commands in the singular (*du*) and the plural (*ihr*).

---

leise sein   das Fenster schließen   ~~den Text vorlesen~~

die Regel aufschreiben   laut sprechen   an die Tafel kommen

die Übungen auf der CD-ROM machen   das Buch öffnen

---

du   *ihr*

Lies den Text vor!   *Lest den Text vor!*

...   ...

2 Supply the imperative in the singular or the plural.

1.	_____ mich doch mal besuchen!	kommen/Singular
2.	_____ keine Angst!	haben/Plural
3.	_____ doch ein bisschen leise!	sein/Plural
4.	_____ bitte lauter, ich verstehe dich so schlecht!	sprechen
5.	_____ bitte in der Pause die Fenster!	öffnen/Plural
6.	_____ mir bitte mal schnell den Stift dort!	geben/Singular
7.	_____ doch nicht so ungeduldig!	sein/Singular
8.	_____ die Badesachen nicht!	vergessen/Plural
9.	_____ doch die Tasche von deiner Schwester!	nehmen
10.	_____ mir bitte!	antworten/Singular

3 Separable verbs: Supply the imperative in the singular (*du*).

1.	_____ bitte das Fenster ___ .	zumachen
2.	_____ doch ___ !	aufpassen
3.	_____ doch nicht immer vor dem Fernseher ___ !	einschlafen
4.	_____ endlich ___ !	anfangen
5.	_____ bitte das Geschirr ___ !	abtrocknen
6.	_____ bitte ___ !	mitkommen
7.	_____ doch bitte die Küche ___ !	aufräumen
8.	_____ ihn doch mal zum Abendessen ___ !	einladen
9.	_____ sie bitte vom Kindergarten ___ !	abholen
10.	_____ doch eine Jacke ___ !	mitnehmen

4 Reflexive verbs: Supply the imperative in the singular, the plural or with *Sie*.
▶ *Reflexive verbs* see pages 50–52

1. _____ ein bisschen, der Zug fährt gleich ab!
   (sich beeilen/Plural)

2. _____ bitte nach den Zugverbindungen!
   (sich erkundigen/Sie)

3. _____ endlich!
   (sich entscheiden/Singular)

4. _____ doch! Bald ist Weihnachten!
   (sich freuen/Plural)

5. _____ nicht, ich kann das allein erledigen!
   (sich bemühen/Sie)

6. _____ doch nicht dauernd, anderen Menschen geht es viel
   schlechter als dir!
   (sich beklagen/Singular)

5 **Holiday tips**
Make imperative sentences in the *du*- and *ihr*-form.

1. Lassen Sie Ihre Probleme zu Hause!
   Lass deine Probleme zu Hause!
   Lasst eure Probleme zu Hause!

2. Liegen Sie nie lange ohne Sonnenschutz in der Sonne!

3. Nehmen Sie nicht viel Geld mit an den Strand!

4. Vergessen Sie Ihre Arbeit!

5. Schlafen Sie viel!

6. Erholen Sie sich gut!

1.8 Verbs
The Passive

Use

Active: the person who does the action is important
▲ Was ist denn das für ein Lärm?
● Die Nachbarn bauen eine Garage.

Passive: the action itself, the event is important
▲ Was ist denn das für eine Baustelle?
● Hier wird eine neue Autobahn gebaut.

Passive clauses without agent

Hier wird eine neue Autobahn gebaut.

The event is the main information. The person who does something (agent) is either common knowledge, unknown or not relevant.

(Es wurde dem Verletzten sofort geholfen.)
→ Dem Verletzten wurde sofort geholfen.

With verbs taking the dative *es* can replace the subject in initial position. A clause without *es* is always stylistically better. Another element of the clause is then placed first.

▶ Verbs with the dative see page 195

Passive clauses with agent

‚von' + dative
Diese Schauspielerin wurde von allen bewundert.
Die Frau wurde von einem Auto angefahren.

‚durch' + accusative
Wir wurden erst durch das Fernsehen informiert.

The passive clause may name the person or thing that caused the event. Even so, the action remains the most important information. The preposition *von* is used for a direct causal relationship (person/thing); the preposition *durch* is used for an indirect causal relationship.

Formation

The passive is formed with *werden* + the past participle of the main verb.

Present tense	Hier	wird	eine neue Autobahn	gebaut.
Past tense		wurde		gebaut.
Perfect tense		ist		gebaut worden.
Past perfect tense		war		gebaut worden.

▶ Conjugation of *werden* see page 11

The passive with modal verbs

Present tense	Die Küche	muss	aufgeräumt werden.
Past tense		musste	

The perfect and past perfect tenses are not often used in conjunction with modal verbs.

▶ *Modal verbs* see pages 12–15

The passive in a subordinate clause

Present tense	Ich weiß, dass hier eine neue Autobahn	gebaut wird.
Past tense		gebaut wurde.
Perfect tense		gebaut worden ist.
Past perfect tense		gebaut worden war.

	with modal verbs	
Present tense	Ich weiß, dass die Küche	aufgeräumt werden muss.
Past tense	Ich wusste, dass die Küche	aufgeräumt werden musste.

▶ Exercises 1–10

▶ Chapter 1, exercise 16

1 Supply the correct form of *werden*.

1. Hier _wird_ eine Kirche gebaut. (Präsens)
2. Wir _____ nicht gefragt, ob wir mitkommen wollten. (Präteritum)
3. In diesem Restaurant _____ ich immer freundlich bedient _____ (Perfekt)
4. Warum _____ in deiner Firma niemand mehr eingestellt? (Präsens)
5. Hoffentlich _____ ihr nicht in eine andere Abteilung versetzt. (Präsens)
6. Als ich endlich den Supermarkt gefunden hatte, _____ er gerade geschlossen. (Präteritum)
7. In meinem neuen Job _____ ich sehr gut bezahlt. (Präsens)
8. Mein Großvater musste in seinem Leben immer hart arbeiten. Ihm _____ nichts geschenkt. (Präteritum)
9. An der Grenze _____ unser Gepäck genau kontrolliert _____ . (Perfekt)

2 Present tense: Make sentences in the passive.

Wie zerstören die Menschen die Umwelt?

1. die Natur – schädigen
   Die Natur wird geschädigt.
2. die Flüsse – durch Chemikalien – vergiften
3. die Landschaft – mit Häusern – vollbauen
4. zu viel Müll – es – produzieren
5. die Wälder – zerstören
6. die Rohstoffe – verschwenden

3 Present tense: Change the passive sentences in exercise 2 using the modal verb *sollen* + *nicht noch mehr*.

Was fordern die Umweltschützer?

1. *Die Natur soll nicht noch mehr geschädigt werden.*
...

4 Past tense: Make sentences in the passive.

1. Meine Wohnung war unordentlich.
   Meine Wohnung musste aufgeräumt werden.
2. Im Text waren noch viele Fehler.
3. Ich habe die Rechnung bekommen.
4. Meine Großeltern sind am Bahnhof angekommen.
5. Der Fahrradfahrer war leicht verletzt.

6. Mein Fernsehapparat war kaputt.
7. Die Papiere waren durcheinander.
8. Das ganze Geschirr war schmutzig.

aufräumen müssen

korrigieren müssen
bezahlen müssen
abholen müssen
ins Krankenhaus bringen müssen
reparieren müssen
ordnen müssen
spülen müssen

5 Complete the sentences using the verbs in the passive.

Der Mann _____ bei dem Unfall so

schwer _____ _____ , dass er sofort   verletzen/past perfect tense

in ein Krankenhaus _____ _____   einliefern müssen/past tense

_____ . Dort _____ er gründlich   untersuchen/past tense

_____ und dabei _____ _____ , dass er   feststellen/past tense

sofort _____ _____ _____   operieren müssen/present tense

Nachdem er drei Wochen im Krankenhaus

_____ _____ _____ ,   behandeln/past perfect tense

_____ er _____ _____ .   entlassen können/past tense

Zu Hause _____ er noch einige Wochen   versorgen/past tense

von seinem Hausarzt _____ .

6 What must be done? What can be done? What mustn't be done?

1. *Die Baustelle darf nicht betreten werden.*

2. *Hier ...*

3. _____

4. _____

5. _____

6. _____

7 Change the sentences from exercise 6 into subordinate clauses in the passive.

1. Ich weiß, dass *die Baustelle nicht betreten werden darf.*

...

8 Make subordinate clauses in the passive.

1. Man isst in Bayern so viel Schweinefleisch.

   Ich möchte gern wissen, warum *in Bayern so viel Schweinefleisch gegessen wird.*

2. Man schenkt den Kindern Kriegsspielzeug.

3. Man führt in Deutschland kein Tempolimit auf Autobahnen ein.

4. Man erzieht die Kinder nicht zu mehr Toleranz.

5. Man achtet die Rechte der Minderheiten nicht.

6. Man muss bei Smog das Auto nicht zu Hause lassen.

9 Complete the sentences with *von* or *durch*.

1. Der Frosch wurde _____ der Prinzessin geküsst.

2. _____ das Feuer wurde großer Schaden verursacht.

3. Diese Frage wurde mir noch _____ niemandem gestellt.

4. Die Maus wurde _____ Gift getötet.

5. Der Baum wurde _____ einem Blitz getroffen.

6. Die Qualität der Artikel wurde _____ ein neues Produktions-verfahren sehr verbessert.

10 Perfect tense: Make sentences from the newspaper headlines.

1. Unfall auf der Autobahn: 8 Menschen schwer verletzt
   Bei einem Unfall auf der Autobahn sind 8 Menschen schwer verletzt worden.

2. Sturm: 4 Autos von umgefallenen Bäumen beschädigt

3. Ferrari nachts im Zentrum gestohlen

4. Neues Schwimmbad von Bürgermeister eröffnet

5. Banküberfall in der Kantstraße

6. Entführtes Kind gefunden

1.9 Verbs
The Subjunctive II

Use

polite request + question

Herr Ober,	ich möchte bitte noch ein Bier.
	würden Sie mir bitte die Speisekarte bringen?
	könnten wir bitte noch etwas Brot bekommen?
	ich hätte gern noch einen Kaffee.

These sentences sound very polite. They are mainly used in *Sie*-situations. In *du*-situations politeness can also be expressed in the following way:

Hilfst du mir bitte?
Hilfst du mir mal?
Kannst du mir helfen?

Sometimes these expressions are also used simultaneously:

Kannst du mir bitte mal helfen?

unreal conditions/possibility

Present

▲ Kommen Sie am Samstag zu meiner Geburtstagsparty?

real

● Wenn ich Zeit habe, komme ich gern. Ich rufe Sie morgen an und gebe Ihnen Bescheid. [= possibly]

unreal
(= subjunctive II)

● Vielen Dank für die Einladung. Wenn ich Zeit hätte, würde ich sehr gerne kommen. Aber leider fahre ich am Wochenende weg. [= no]

Past

▲ Hast du gestern Abend das Spiel Bayern München gegen Werder Bremen gesehen?

real

● Ja, natürlich hab' ich es gesehen.

unreal
(= subjunctive II)

● Wenn ich Zeit gehabt hätte, hätte ich es natürlich angeschaut. Aber ich musste leider länger arbeiten.[= no]

unreal wishes

reality   Ich habe kein Geld dabei.

wish   Wenn ich **doch** mein Geld mitgenommen hätte!
Hätte ich **doch** mein Geld mitgenommen!

advice/suggestions

▲ An deiner Stelle würde ich mir vor der langen Fahrt noch etwas zu essen kaufen.

or

▲ Du solltest dir vor der langen Fahrt noch etwas zu essen kaufen.

● Nein, das ist nicht nötig, ich habe viel gefrühstückt.

▲ Wir haben noch eine halbe Stunde Zeit, bis der Zug abfährt. Wir könnten doch noch einen Kaffee trinken gehen.

● Ja, gute Idee!

comparisons with ‚als ob'

Er ist faul, aber er tut so, als ob er arbeiten würde.

The subjunctive II with modal verbs

Present
Du solltest mehr schlafen.
Reality: You look tired.

Past
main clause (hätte + infinitive + infinitive)
Ich hätte länger schlafen sollen.
Reality: I got up too early.

main clause + subordinate clause
Wenn ich heute nicht so früh hätte aufstehen müssen, wäre ich jetzt nicht so müde.
Reality: I am so tired because I had to get up so early today.

Formation

Present

with most verbs ‚würde' + infinitive

ich	würde	fragen
du	würdest	fragen
er, sie, es	würde	fragen
wir	würden	fragen
ihr	würdet	fragen
sie, Sie	würden	fragen

without ‚würde' with basic verbs and some other verbs

Infinitive	Subjunctive II
haben	ich hätte
sein	ich wäre
werden	ich würde
wollen	ich wollte
sollen	ich sollte
müssen	ich müsste
dürfen	ich dürfte
können	ich könnte
mögen	ich möchte
kommen	ich käme
gehen	ich ginge
wissen	ich wüsste
brauchen	ich bräuchte
geben	ich gäbe

Past

‚hätte'/‚wäre' + past participle

	indicative three tenses expressing the past	subjunctive II one tense expressing the past
Past tense	ich kaufte ich kam	ich hätte gekauft ich wäre gekommen
Perfect tense	ich habe gekauft ich bin gekommen	
Past perfect tense	ich hatte gekauft ich war gekommen	

▶ Exercises 1–21

▶ 💿 Chapter 1, exercises 17–19

1 Past tense indicative and subjunctive II: Supply the correct forms.

1.	haben	du	_hattest_	du	_hättest_
2.	können	sie	_____	sie	_____
3.	müssen	ihr	_____	ihr	_____
4.	sollen	Sie	_____	Sie	_____
5.	werden	er	_____	er	_____
6.	dürfen	wir	_____	wir	_____
7.	wollen	ich	_____	ich	_____
8.	sein	sie (Pl.)	_____	sie (Pl.)	_____
9.	mögen	es	_____	es	_____
10.	gehen	ich	_____	ich	_____
11.	geben	es	_____	es	_____
12.	brauchen	du	_____	du	_____
13.	wissen	wir	_____	wir	_____
14.	kommen	ich	_____	ich	_____

2 Rewrite the sentences making them sound more polite.

1. Gib mir bitte Feuer. (2 possibilities)
   Würdest du mir bitte Feuer geben?
   Könntest du mir bitte Feuer geben?

2. Darf ich mir Ihren Bleistift leihen?

3. Halten Sie bitte einen Moment meinen Mantel? (2 possibilities)

4. Sagen Sie mir, wie ich zum Bahnhof komme? (2 possibilities)

5. Kann ich Sie schnell etwas fragen?

6. Geben Sie mir ein Glas Wasser?
   (2 possibilities)

7. Mach bitte das Fenster zu.
   (2 possibilities)

8. Darf ich Sie bitten, das Radio leiser zu stellen?

3 Rewrite the letter making it sound more polite and using *Sie*.

> *Liebe Angela,*
>
> *wie geht es Dir? Wie ist denn Deine neue Arbeitsstelle? Hast Du nette Kollegen?*
>
> *Ich habe eine große Bitte. Du weißt doch, ich bin im Juli und August in Berlin. Ich möchte dort einen Sprachkurs besuchen. Leider weiß ich noch nicht, an welcher Schule, und ich habe noch keine Wohnmöglichkeit. Hilfst Du mir?*
>
> *Vielleicht kannst Du mal deine Freunde und Bekannten fragen, ob jemand in dieser Zeit ein Zimmer vermietet. Und fragst Du bitte an einigen Sprachschulen in Berlin nach den Preisen und Kursdaten? Kannst Du mir vielleicht vorher einige Prospekte schicken? Dann kann ich mich nämlich rechtzeitig an einer Schule anmelden.*
>
> *Darf ich Dich zum Schluss noch um einen anderen Gefallen bitten? Du weißt ja, ich war noch nie in Berlin und komme mit viel Gepäck. Holst Du mich bitte am Flughafen ab? Dafür koche ich für Dich in Berlin ein typisch brasilianisches Essen.*
>
> *Vielen Dank für Deine Hilfe. Ich freue mich auf unser Wiedersehen in Deutschland.*
>
> *Viele Grüße*   **Benedita**

Start your letter like this:

> *Sehr geehrte Frau Müller,*
>
> *wie geht es Ihnen? Wie ist denn Ihre neue Arbeitsstelle? Haben Sie nette Kollegen?*
>
> *Ich hätte eine große Bitte. ...*

 Make sentences. Start each one with: *Ich wäre froh, wenn ich ...*

1. so gut Deutsch sprechen können wie du
2. eine so große Wohnung haben wie ihr
3. Goethe auf Deutsch lesen können
4. jedes Jahr drei Monate Urlaub machen können
5. länger bleiben dürfen
6. zu Fuß zur Arbeit gehen können
7. nicht jeden Tag mit dem Auto fahren müssen
8. mehr Geduld haben

And you? Write 5 sentences.

5 Complete the sentences.

1. er – sich Zeit nehmen
   Ich würde mich freuen, _wenn er sich mehr Zeit nehmen würde._
2. sie (Pl.) – mehr Geduld haben
   Es wäre schön, _____
3. du – mich in Ruhe lassen
   Ich wäre dir dankbar, _____
4. er – mit mir mehr Abende verbringen
   Es wäre toll, _____
5. ich – nicht so viel arbeiten müssen
   Ich wäre froh, _____
6. du – abends früher nach Hause kommen
   Es wäre schön, _____
7. wir – häufiger ins Theater gehen
   Ich würde mich freuen, _____

6 Subjunctive II: Supply the appropriate past tense form of the verb.

1. Wenn er doch _gekommen wäre_ !
2. Ich _____ das nicht _____ .
3. Wir _____ nie _____ .
4. Sie _____ uns bestimmt nicht _____ .
5. Ihr _____ die Straße ohne Stadtplan nie _____ .
6. Sie (Pl.) _____ gern nach Amerika _____ .
7. Er _____ sicher mit dir _____ _____ .
8. Ich _____ dir das schon noch _____ .

kommen
tun
mitkommen
besuchen
finden
fliegen
spazieren gehen
erzählen

7 What goes together? Please match.

1	2	3	4	5

1. Wenn ich mehr Fremdsprachen könnte,
2. Wenn ich mehr Geld mitgenommen hätte,
3. Ich hätte die Prüfung bestanden,
4. Das Problem wäre gar nicht entstanden,
5. Ich wäre gern in dieses Konzert gegangen,

a wenn Sie mich gefragt hätten.
b wenn es noch Karten gegeben hätte.
c würde ich dich jetzt zum Essen einladen.
d hätte ich diesen Job bekommen.
e wenn sie mir nicht so schwierige Fragen gestellt hätten.

8 Subjunctive II: Supply the correct verb forms.

Wenn mein Vater der Scheich von Shambala _wäre_____ ,	sein
_____ ich in weichen Betten _____ . Ich	schlafen können
_____ den ganzen Tag mit meinen Freundinnen	spielen
_____ und _____ meiner Mutter nicht immer in	brauchen
der Küche zu helfen. Sie _____ viele Angestellte für die	haben
Hausarbeit. Natürlich _____ mich auch ein Chauffeur in	fahren
die Schule _____ , und ich _____ nicht mehr zu	müssen
Fuß gehen. Außerdem _____ ich viele wunderschöne	haben
Kleider. Sicher _____ ich den ganzen Tag machen, was	dürfen
ich will. Aber vielleicht _____ das auch sehr langweilig.	sein
Ich _____ wahrscheinlich nicht mehr mit meinen	durfen
Freundinnen auf der Straße spielen und _____ immer	müssen
aufpassen, dass ich mich nicht schmutzig mache. Vielleicht	
_____ ein Leben als Prinzessin doch nicht so schön.	sein

9 What would you do if ...?
What would happen if ...?

1. Wenn ich im Lotto gewinnen würde, würde ich ...

2. Wenn ich als Kind bei den Eskimos gelebt hätte, ...

3. Wenn Hunde sprechen könnten, ...

4. Wenn ich die Königin von England wäre, ...

5. Wenn ich nicht so faul wäre, ...

6. Wenn ich im letzten Jahrhundert geboren wäre, ...

10 Where would you like to go on holiday? What would you do there?

Ich würde nach ... fahren. Dort würde ich dann ...

11 Complete the sentences.

Paul ist mit seinem Leben nicht zufrieden.

1. Er ist Automechaniker,
   aber er wäre gern Rennfahrer.

2. Er verdient zu wenig,

   _____
   (mehr verdienen)

3. Er wohnt in Audorf,

   _____
   (Hamburg)

4. Er muss früh aufstehen,

   _____
   (lange schlafen)

5. Er hat nur einen Kleinwagen,

   _____
   (Ferrari)

6. Er arbeitet in einer kleinen Firma,

   _____
   (in einer großen Firma arbeiten)

12 Make sentences expressing wishes.

Sie haben mit 17 Jahren bei einem Preisausschreiben ein tolles Auto gewonnen. Was wünschen Sie sich?

Wenn ich doch schon meinen Führerschein hätte!
Hätte ich doch schon meinen Führerschein!

1. Sie haben in der Nacht die letzte U-Bahn verpasst.
2. Ihr Traummann/Ihre Traumfrau lädt Sie zum Abendessen ein.
3. Sie landen mit Ihrer Deutschlehrerin nach einem Schiffsunglück auf einer einsamen Insel.
4. Sie bleiben im Lift eines Hochhauses stecken.

13 With the benefit of hindsight!

1. Sie stehen mit dem Auto im Stau. (U-Bahn fahren)
   Wäre ich doch mit der U-Bahn gefahren!
2. Sie hatten einen Ehekrach. (nie heiraten)
3. Das Hotel ist sehr schlecht. (besseres Hotel buchen)
4. Du hast eine Erkältung bekommen. (wärmer anziehen)
5. Sie haben Ihren Zug verpasst. (früher aufstehen)
6. Sie machen einen Spaziergang. Plötzlich beginnt es zu regnen. (Regenschirm mitnehmen)

14 Complete the sentences.

Petra möchte ihr Aussehen verändern und bittet ihre Freundin Anna um Rat. Was sagt Anna? Beginnen Sie mit:

An deiner Stelle würde ich ...
Du könntest doch ...
Vielleicht solltest du ...
Du müsstest mal ...

1. *Du müsstest mal zu einem besseren Friseur gehen.*
2. Schmuck tragen
3. einen Minirock anziehen
4. lebendige Farben tragen
5. modische Schuhe anziehen
6. ein bisschen Make-up benutzen

What would you advise Petra to do? Write a short text.
An ihrer Stelle würde ich ... Außerdem ...

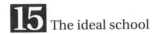

15 The ideal school

Was würden Sie anders machen, wenn Sie Direktor Ihrer Schule wären? Machen Sie Vorschläge.

> *Wenn ich Direktor dieser Schule wäre, würde ich in jeder Pause Getränke servieren.*
> or
> *An seiner Stelle würde ich in jeder Pause Getränke servieren.*

16 A Radio Worldwide phone-in: Psychologists give advice.

Mr A:
Meine Freundin hat mich drei Wochen vor der Hochzeit verlassen. Ich bin so unglücklich und kann an nichts anderes mehr denken. Das Leben hat keinen Sinn mehr für mich.

Dr. Smart replies:
An Ihrer Stelle wäre ich froh, dass Ihnen das vor der Hochzeit und nicht danach passiert ist. Sie sollten jetzt vielleicht eine Reise machen mit einem guten Freund, damit Sie wieder auf andere Gedanken kommen.

Now you are the psychologist. Give the following people advice using expressions like *An Ihrer Stelle … / Sie sollten … / Sie könnten … / Sie müssten …*

1. *Britta (16 Jahre):* Jeden Tag auf dem Weg zur Schule treffe ich im Zug einen sehr gut aussehenden Jungen. Er schaut mich immer an, aber er sagt nie etwas zu mir. Wie kann ich mit ihm in Kontakt kommen?

2. *Frau B. (60 Jahre):* Ich lebe allein, seit mein Mann vor ein paar Jahren plötzlich gestorben ist. Leider habe ich nur wenig Bekannte und bin sehr einsam. Wie kann ich in meinem Alter andere Menschen kennenlernen?

3. *Hans (16 Jahre):* Ich will mit der Schule aufhören, weil ich endlich eine Ausbildung als Automechaniker anfangen möchte. Meine Eltern erlauben das nicht und wollen mich zwingen, weiter zur Schule zu gehen und das Abitur zu machen. Wie kann ich sie überzeugen?

17 Supply the missing sentences.

Heinrich möchte allen Frauen gefallen. Er tut immer so, als ob er der tollste
Typ der Welt wäre, aber in Wirklichkeit ist er ganz anders.

1. Er hat nie Geld.   *Aber er tut so, als ob er viel Geld hätte.*
2. Er kann nicht kochen.   _____
3. Er ist ziemlich ängstlich.   _____
4. Er ist nicht besonders intelligent.   _____
5. Er ist normalerweise unhöflich.   _____
6. Er hat wenig Freunde.   _____

18 Complete the sentences.

1. Es sieht so aus, *als ob es bald regnen würde.*   bald regnen
2. Du siehst so aus, …   die ganze Nacht nicht geschlafen
3. Es sieht so aus, …   wir müssen die Grammatik wiederholen
4. Sie sieht so aus, …   abgenommen haben
5. Die Kleine sieht so aus, …   krank sein
6. Du siehst so aus, …   müde sein

19 Complete the sentences with the correct form of *würde, hätte, wäre.*

1. _Würden_ Sie mir bitte einen Gefallen tun? Sagen Sie Herrn Fischer, dass ich morgen etwas später komme.
2. _____ Sie einen Moment Zeit für mich? Ich _____ gern etwas mit Ihnen besprechen.
3. Wie _____ es, wenn wir nach dem Theater noch ein Glas Wein zusammen trinken _____ ?
4. Mein Sohn _____ auch sehr gern mitgekommen. Aber leider ist er sehr erkältet.
5. Ich _____ noch eine Bitte. _____ Sie mich bitte kurz anrufen, wenn Herr Wagner zurück ist?
6. Das _____ du doch nicht allein machen müssen! Ich _____ dir schon geholfen.
7. Ich _____ dann gegen acht Uhr bei Ihnen. Ist Ihnen das recht?
8. _____ ihr mir bitte helfen?

20 Subjunctive II or indicative: Supply the missing verbs.

1. Ich würde dir helfen, wenn ich Zeit _____ .

2. An Ihrer Stelle _____ ich es mir noch mal überlegen.

3. Wenn du Zeit _____ , komm doch mit!

4. _____ ich doch nichts gesagt!

5. Sie _____ etwas früher kommen sollen.

6. Es _____ besser, wenn Sie ihn mal anrufen _____ .

7. Was _____ geschehen, wenn sie ,ja' gesagt _____ ?

8. Wenn er krank _____ , kann er nicht mitkommen.

9. Was _____ du machen, wenn du jetzt nicht in Deutschland _____ ?

10. Hättest du das auch getan? – Nein, das _____ ich wirklich nie getan!

21 What goes together?
Please match.

1	2	3	4	5	6	7	8

1. Du siehst müde aus.
2. Wenn Sie noch Fragen haben,
3. Ich würde mich sehr freuen,
4. Der neue Film von Spielberg ist super!
5. Papa, warum muss ich jetzt schon ins Bett?
6. Wenn ich könnte,
7. Soll ich den Brief gleich zur Post bringen?
8. Er tut nur so,

a Oh ja, das wäre sehr nett!
b als ob er nichts verstanden hätte.
c Weil wir morgen früh aufstehen müssen.
d Vielleicht solltest du ins Bett gehen.
e rufen Sie mich einfach an.
f Den solltest du dir auch anschauen.
g wenn Ihre Frau auch mitkäme.
h würde ich jetzt auch gern in Urlaub fahren.

1.10 Verbs
Indirect Speech

In everyday oral German the indicative is mainly used in indirect speech.
In formal written German, especially in newspapers, however, the subjunctive I is frequently used.

	direct speech	*indirect speech*
Indicative	„Ich habe heute keine Zeit.“	Er sagt, dass er heute keine Zeit hat.
Subjunctive I	„Ich nehme an der Konferenz teil.“	Der Politiker sagte, er nehme an der Konferenz teil.
	„Ich bin mit den Ergebnissen zufrieden.“	Der Politiker sagte, er sei mit den Ergebnissen zufrieden.
	„Ich habe das nicht gewusst.“	Der Politiker sagte, er habe das nicht gewusst.

If the form of the subjunctive I is the same as that of the indicative, then the subjunctive II should be used.

additional features of indirect speech

- It always starts with a sentence containing a reporting verb (*sagen, meinen, behaupten, berichten, erzählen, fragen …*).

- This is followed by a *dass*-clause (verb as final element) or another main clause (verb in second position).

- The personal pronoun changes (ich → er/sie; wir → sie; Sie → ich/wir).

- Questions:
direct speech	*indirect speech*
„Wann kommst du?“	Sie hat gefragt, wann ich komme.
„Kommst du heute?“	Sie hat gefragt, ob ich heute komme.

▶ *Questions* see pages 144, 201, 209

1.11 Verbs
Verbs with Prepositions

▲ *Worüber* ärgerst du dich denn so?
● *Über* mein Auto. Es geht schon wieder nicht.
▲ *Darüber* brauchst du dich doch wirklich nicht so zu ärgern.
Vielleicht kann dir mein Mann helfen.
Er versteht viel *von* Autos.

Summary

Dative	Accusative	Accusative or Dative
aus	durch	in
bei	für	an
mit	gegen	auf
nach	ohne	unter
seit	um	über
von		vor
zu		hinter
		neben
		zwischen

dative

Ich diskutiere gern *mit* meinem Lehrer.
Ich gratuliere dir ganz herzlich *zum* Geburtstag.

accusative

Ich interessiere mich sehr *für* die deutsche Literatur.
Er kümmert sich jeden Tag *um* seine kranken Eltern.

accusative or dative – you must learn which case the preposition takes:

Ich denke *an* dich.   *denken an* + acc.
Er leidet *an* einer schweren Krankheit.   *leiden an* + dat.

With nouns/pronouns

people (preposition + pronoun)
▲ *Auf wen* wartest du denn?
● Auf Franz.
▲ Ich warte auch schon seit zwei Stunden *auf ihn.*

things (‚wo-‘/,da-‘ + preposition)
▲ *Worüber* sprecht ihr gerade?
● Über den Film gestern Abend.
▲ Den habe ich auch gesehen. *Darüber* wollte ich auch mit euch sprechen.

With infinitive and subordinate clauses

‚da-‘ + preposition refers to the subordinate clause that follows
▲ Warum bist du denn so nervös?
● Ach, ich freue mich so sehr *darauf,* meinen Freund endlich wiederzusehen. Er kommt am nächsten Wochenende.

▲ Wo warst du denn gestern Abend?
● Oh, entschuldige bitte! Ich habe nicht mehr *daran* gedacht, dass wir uns ja treffen wollten. Das tut mir wirklich leid.

‚da-‘ + preposition refers to the preceding sentence/text
▲ Am nächsten Wochenende bekomme ich Besuch. Ich freue mich schon so sehr *darauf.*

▶ *Prepositions* see page 160

The most important verbs with prepositions

abhängig sein	von	Er ist noch finanziell abhängig von seinen Eltern.
es hängt ab	von	Es hängt vom Wetter ab, ob wir morgen Ski fahren oder nicht.
achten	auf + acc.	Achten Sie bitte auf die Stufen!
anfangen	mit	Wir fangen jetzt mit dem Essen an.
sich ärgern	über + acc.	Ich ärgere mich immer über die laute Musik meines Nachbarn.
aufhören	mit	Hör jetzt bitte mit dem Lärm auf!
aufpassen	auf + acc.	Könnten Sie bitte einen Moment auf mein Gepäck aufpassen?
sich bedanken	bei für	Hast du dich schon bei Oma für das Geschenk bedankt?
beginnen	mit	Wir beginnen jetzt mit dem Unterricht.
sich beklagen	über + acc.	Er hat sich über seinen Kollegen beklagt.
sich bemühen	um	Er bemüht sich um einen Studienplatz in den USA.
berichten	über + acc.	Um 17 Uhr berichten wir wieder über das Fußballspiel.
sich beschäftigen	mit	Er beschäftigt sich sehr viel mit seinen Kindern.
sich beschweren	bei über + acc.	Ich habe mich beim Kellner über das kalte Essen beschwert.
bestehen	aus	Diese Geschichte besteht aus zwei Teilen.
sich bewerben	um	Er hat sich um eine Arbeit bei Siemens beworben.
sich beziehen	auf + acc.	Ich beziehe mich auf unser Telefongespräch vom 12.4.
jdn. bitten	um	Ich bitte dich um einen Rat.
jdm. danken	für	Ich danke Ihnen für die schönen Blumen.
denken	an + acc. über + acc.	Ich denke immer nur an dich. Was denken Sie über die deutsche Außenpolitik?
diskutieren	mit über + acc.	Mit Hans diskutiere ich immer über Politik.

jdn. einladen	zu	Ich lade Sie zu meiner Geburtstagsparty am Samstag ein.
sich entscheiden	für	Ich habe mich für diesen Pullover entschieden.
sich entschuldigen	bei	Sie hat sich bei ihrer Kollegin für den Irrtum entschuldigt.
	für	
sich erholen	von	So ein Schreck! Ich habe mich immer noch nicht davon erholt.
sich erinnern	an + acc.	Ich kann mich nicht an ihren Namen erinnern.
jdn. erinnern	an + acc.	Erinnern Sie mich bitte an meine Tasche. Sie liegt hier.
jdn. erkennen	an + dat.	Ich habe dich an der Stimme erkannt.
sich erkundigen	bei	Sie hat sich bei einem Fußgänger nach dem Weg erkundigt.
	nach	
erzählen	von	Erzählen Sie mir ein bisschen davon.
jdn. fragen	nach	Fragen Sie doch den Polizisten dort nach dem Weg.
sich freuen	auf + acc.	Nächste Woche fahre ich in den Urlaub. Darauf freue ich mich.
	über + acc.	Wir haben uns sehr über euren Besuch gefreut.
gehören	zu	Dies gehört nicht zu meinen Aufgaben.
sich gewöhnen	an + acc.	Langsam gewöhne ich mich an das feuchte Klima hier.
gratulieren	zu	Ich gratuliere dir herzlich zum Geburtstag.
sich interessieren	für	Ich interessiere mich sehr für Philosophie.
sich konzentrieren	auf + acc.	Ich kann mich heute nicht auf meine Arbeit konzentrieren.
sich kümmern	um	Sie kümmert sich immer sehr um ihre Gäste.
lachen	über + acc.	Warum lachst du über diesen dummen Witz?
leiden	an + dat.	Er leidet an Bluthochdruck.
	unter + dat.	Ich leide sehr unter dem Lärm der Baustelle nebenan.

nachdenken	über + acc.	Gute Idee! Ich werde darüber nachdenken.
protestieren	gegen	Die Angestellten protestieren gegen die Entlassungen.
riechen	nach	Hier riecht es nach Essen.
schmecken	nach	Die Suppe schmeckt nach nichts.
schreiben	an + acc.	Ich schreibe gerade eine E-Mail an meine Freundin.
	über + acc.	Er schreibt einen Artikel über das Konzert gestern Abend.
sich schützen	vor + dat.	Mit dieser Creme schütze ich mich vor Sonnenbrand.
	gegen	Wie kann man sich gegen Malaria schützen?
sorgen	für	Er sorgt für seine alte Mutter.
sprechen	mit	Ich muss noch einmal mit dir über deine Pläne sprechen.
	über + acc.	
sterben	an + dat.	Er ist an Krebs gestorben.
streiten	mit	Er streitet ständig mit seinem kleinen Bruder.
sich streiten	um	Die Kinder streiten sich um die Spielsachen.
	über + acc.	Wir streiten uns immer über Politik.
teilnehmen	an + dat.	Wie viel Leute haben an dem Kurs teilgenommen?
träumen	von	Ich habe in der letzten Nacht von wilden Tieren geträumt.
jdn. überreden	zu	Mein Freund hat mich zu diesem Ausflug überredet.
jdn. überzeugen	von	Du musst den Personalchef von deinen Fähigkeiten überzeugen.
sich unterhalten	mit	Sie hat sich mit mir nur über Mode unterhalten.
	über + acc.	
sich verabreden	mit	Wann hast du dich mit Andrea verabredet?
sich verlassen	auf + acc.	Du kannst dich darauf verlassen, dass ich dir immer helfe.

sich verlieben	in + acc.	Ich habe mich in ihn verliebt.
etwas verstehen	von	Ich verstehe nichts von Autos.
sich vorbereiten	auf + acc.	Ich muss mich noch auf die Konferenz morgen vorbereiten.
warten	auf + acc.	Wir warten seit Tagen auf einen Brief von ihr.
sich wenden	an + acc.	Wenden Sie sich doch bitte an die Dame an der Rezeption.
sich wundern	über + acc.	Ich wundere mich immer wieder über den technischen Fortschritt.
zweifeln	an + dat.	Die Polizei zweifelt an seiner Aussage.

Some verbs can be used with or without a preposition:

▲ Was machst du denn gerade?
● Ich schreibe meinen Eltern einen Brief.
or
● Ich schreibe einen Brief an meine Eltern.

Remember:
auf, über: always take the accusative
an, unter, vor, in: mostly take the accusative

▶ Exercises 1–14

▶ Chapter 1, exercise 20

1 What goes together?
Please match.

1	
2	
3	
4	
5	
6	

1. Ich freue mich   a   über seinen Chef.

2. Otto ärgert sich   b   für die Blumen.

3. Mein Großvater spricht gern   c   für Sport.

4. Ich danke Ihnen   d   auf die Ferien.

5. Meine Freundin bittet mich   e   über seine Kindheit.

6. Er interessiert sich nicht   f   um einen Rat.

2 Make sentences.

1. habe – gestern – Brief – ich – meine – an – geschrieben – Eltern – einen

2. einem – Anna – hat – Skikurs – teilgenommen – an

3. sie – Kinder – für – sehr – sorgt – gut – ihre

4. heute – Fußball – er – mit – angefangen – hat

5. träumt – gut aussehenden – von – sie – Mann – einem

6. geärgert – Freundin – er – über – sehr – sich – hat – seine

3 Supply the preposition and – where necessary – the article.

1. ▲ Wann beginnen wir endlich _____ Essen?
   ● Wir warten noch _____ Onkel Max.
   ▲ Was, du hast auch Onkel Max _____ Geburtstagsessen eingeladen?
   ● Ja, er hat mich heute früh angerufen und mir gratuliert. Du wolltest doch sowieso noch mit ihm _____ unsere Reise nach Indien sprechen, oder?

2. ● Anna, was denkst du übrigens _____ mein neues Geschirr? Es ist ein Geschenk von meinen Eltern.
   ▲ Tja, es ist wirklich sehr modern. Ich muss mich erst _____ vielen Farben gewöhnen.

4 Choose the correct preposition.

```
    daran   nach   wovon
        an      an      darauf
    dazu   mit   für   aus
```

1. Wir könnten doch den Polizisten dort _____ dem Weg zur Kathedrale fragen.

2. Kannst du ihn nicht _____ überreden, ins Theater mitzukommen?

3. Wenn Sie noch Fragen haben, wenden Sie sich bitte _____ meinen Assistenten.

4. Wann können wir _____ der Besprechung beginnen?

5. Leider habe ich die Prüfung nicht bestanden. Ich habe mich nicht gründlich genug _____ vorbereitet.

6. Mein Großvater ist _____ Krebs gestorben.

7. Er ist zwar sehr streng, aber trotzdem halte ich ihn _____ einen guten Chef.

8. _____ hast du letzte Nacht geträumt?

9. Würden Sie mich bitte _____ erinnern, dass ich nachher diese Tasche mitnehme?

10. Die Prüfung besteht _____ zwei Teilen: Grammatik und schriftlicher Ausdruck.

5 Underline the correct preposition.

1. Er bewirbt sich auf/für/um eine Arbeit bei Lufthansa.

2. Mit diesem Schreiben beziehe ich mich auf/nach/über Ihren Brief vom 12.5.

3. Wir müssen uns alle zusammen für/mit/um eine Lösung dieses Problems bemühen.

4. Die Arbeiter protestieren mit/gegen/für die schlechten Arbeitsbedingungen.

5. Wie kann man sich am besten vor/bei/gegen einer Erkältung schützen?

6. Sie hat sich an/auf/über ihre Kollegin beklagt.

7. Hör endlich mit/über/von diesem Lärm auf! Ich muss arbeiten.

8. Hast du dich wenigstens mit/an/bei Onkel Fritz um/für/über deine Verspätung entschuldigt?

6 Answer the following questions.

1. Womit beschäftigen Sie sich im Urlaub am liebsten?
   Mit Sport und Lesen.

2. Worüber würden Sie gern ein Buch schreiben?

3. Mit wem würden Sie sich nie zum Essen verabreden?

4. Woran zweifeln Sie nie/oft?

5. Wovon sind Sie abhängig?

6. Worüber/Über wen regen Sie sich oft auf?

7. Worüber denken Sie zurzeit viel nach?

8. Mit wem haben Sie in ihrem Leben am meisten gestritten?

7 Supply the prepositions.

1. sich freuen __über__ / __auf__
Schön, dass du da warst! Ich habe
mich sehr __über__ deinen Besuch
gefreut.
Mein Gott, diese Arbeit! Ich freue
mich so __auf__ meinen Urlaub!

2. sich bedanken _____ / _____
Hast du dich _____ Oma _____
die Schokolade bedankt?

3. leiden _____ / _____
Sie leidet _____ starken
Depressionen.
Die Reise nach Brasilien war
wunderschön, aber wir haben sehr
_____ der Hitze gelitten.

4. sich streiten _____ / _____
Warum müsst ihr euch denn bei
jeder Gelegenheit _____ Politik
streiten?
Sie sind furchtbar. Sie streiten sich
ständig _____ Geld.

5. sich unterhalten _____ / _____
Entschuldigen Sie bitte, dass ich
mich verspätet habe. Ich habe mich
noch _____ Frau Schiller _____
etwas sehr Wichtiges unterhalten
und dabei ganz vergessen, auf die
Uhr zu schauen.

6. denken _____ / _____
Was denken Sie _____ meinen
Aufsatz? Ist er besser als der letzte?
Du hörst mir ja gar nicht zu! Denkst
du nur noch _____ deinen neuen
Freund?

8 Complete the questions and
answer them.

1. __Über wen__ / __Worüber__ lacht ihr? –
…
(two alternatives)

2. _____ welchen deiner Freunde
kannst du dich wirklich verlassen? –
…

3. _____ / _____ streitet ihr
euch schon wieder? – …
(two alternatives)

4. _____ kann ich mich mit diesem
Problem wenden? – …

5. _____ hast du dich heute Abend
verabredet? – …

6. _____ achten Sie am meisten,
wenn Sie eine Reise buchen? – …

7. _____ diskutiert ihr denn? – …

8. _____ hängt es ab, ob du
mitkommst oder nicht? – …

9. _____ möchten Sie mir denn
danken? – …

10. _____ haben Sie sich denn jetzt
entschieden? – …

9 Preposition, *da-* and *wo-*:
Complete the sentences.

1. ▲ Maria hat mir versprochen,
dass sie sich _um_ meinen
Hund kümmert, wenn ich im
Krankenhaus bin. Glaubst du,
ich kann mich _darauf_ / _auf sie_
verlassen? (two alternatives)
   ● Na klar, _____ Maria kann
   man sich immer verlassen. Sie
   gehört _____ den Menschen,
   die ihr Versprechen immer
   halten.

2. ▲ Was denkst du _____ unseren
neuen Chef?
   ● Ich finde ihn sehr nett und
   kooperativ. Wir haben gestern
   lange _____ ihm _____
   unsere Arbeitsbedingungen
   diskutiert, und wir konnten ihn
   _____ überzeugen, dass man
   in Zukunft einiges in dieser
   Firma ändern muss.

3. ▲ _____ lachst du?
   ● Ich habe gerade _____ den
   Film gestern Abend im
   Fernsehen gedacht. Ich weiß
   nicht mehr, wie er hieß.
   ▲ Meinst du den, wo sich die
   Großmutter _____ ihren viel
   jüngeren griechischen Nachbarn
   verliebt hat und dann _____
   einem Griechischkurs
   teilnimmt?
   ● Ja genau, den meine ich.

4. ▲ _____ warten Sie?
   ● _____ einen Anruf vom Chef.
   ▲ _____ brauchen Sie nicht zu
   warten. Der ist jetzt in einer
   Besprechung.

5. ▲ Du schaust jetzt schon seit
mindestens zehn Minuten aus
dem Fenster. _____ träumst
du denn?
   ● Ach, ich denke _____ unseren
   Urlaub diesen Sommer.
   ▲ Wohin fahrt ihr denn?
   ● Wir haben uns immer noch nicht
   entschieden. Ich versuche
   immer noch, Max _____ zu
   überreden, dass wir in die
   Karibik fliegen, denn ich leide
   sehr _____ dem langen
   Winter hier in Deutschland.

6. ▲ Denk _____ , dass du dich
noch _____ Oma _____ das
Geburtstagsgeschenk bedanken
musst.
   ● _____ brauch' ich mich nicht
   extra zu bedanken. Sie hat doch
   gesehen, wie sehr ich mich
   _____ gefreut habe.
   ▲ Trotzdem hofft sie sicher
   wenigstens _____ eine
   Karte von dir.
   ● Na gut, wenn sie sich _____
   freut, dann schreib' ich ihr eben
   eine.

10 Complete the sentences.

Sehr geehrter Herr Dr. Forster,

im Juli/August habe ich _____ (1) einem Sprachkurs an Ihrer Schule teilgenommen. Mit dem Unterricht und der Lehrerin (ich kann mich leider nicht mehr _____ (2)
ihren Familiennamen erinnern) war ich sehr zufrieden, wir haben viel bei ihr gelernt.
_____ (3) habe ich mich schon persönlich _____ (4) ihr bedankt.
Aber leider muss ich mich wegen einer anderen Sache _____ (5) Ihnen beschweren.
Ich hatte Ihre Sekretärin _____ (6) gebeten, mir ein Zimmer in einer deutschen
Familie zu besorgen, damit ich möglichst viel Deutsch sprechen kann. Nur hat sich
leider niemand in dieser Familie _____ (7) mich gekümmert oder sich _____ (8)
mich interessiert. Sie haben so getan, als ob ich gar nicht da wäre und fast nie
_____ (9) mir gesprochen. An einem Abend habe ich extra gekocht und sie
_____ (10) Essen eingeladen, aber auch dabei hatte ich das Gefühl, dass sie sich
nicht wirklich _____ (11) mir unterhalten wollten. Nach drei Wochen hatte ich mich
_____ (12) dieses Verhalten gewöhnt und mich nicht mehr _____ (13) gewundert.
Ich habe lange _____ (14) nachgedacht, ob ich Ihnen _____ (15) erzählen soll,
aber im Interesse zukünftiger Kursteilnehmer würde ich Ihnen empfehlen, diese
Familie nicht mehr zu vermitteln.
Ansonsten denke ich noch oft und sehr gern _____ (16) diese zwei Monate in
Bremen und werde wahrscheinlich im nächsten Sommer wiederkommen.

Mit freundlichen Grüßen

Véronique Dupont

11 Complete the sentences.

1. ▲ _____ ärgerst du dich?
   ● Ich ärgere mich _____ , dass ...
2. ▲ _____ freut er sich denn so?
   ● Er freut sich _____ , dass ...
3. ▲ _____ wollten wir noch sprechen?
   ● Wir wollten noch _____ sprechen, wie ...
4. ▲ _____ hat sie sich denn beim Chef beschwert?
   ● Sie hat sich _____ beschwert, dass ...
5. ▲ _____ hast du dich nun entschieden? Kommst du mit oder nicht?
   ● Ich habe mich _____ entschieden ... (Infinitiv!)
6. ▲ _____ habt ihr euch denn gestern Abend so lange unterhalten?
   ● Wir haben uns _____ unterhalten, dass du immer ...

12 Ask questions.

1. ▲ *Worauf freust du dich denn so?*
   (sich freuen)
   ● Auf das nächste Wochenende.

2. ▲ ... (schreiben)
   ● An meine Freundin.

3. ▲ ... (diskutieren)
   ● Über Sport.

4. ▲ ... (sich gewöhnen)
   ● An diese schreckliche Hitze.

5. ▲ ... (nachdenken)
   ● Über meine Prüfung morgen.

6. ▲ ... (sich entschuldigen)
   ● Für meine Verspätung.

7. ▲ ... (denken)
   ● An meinen Mann.

8. ▲ ... (träumen)
   ● Von einem Tiger, der mich
   fressen wollte.

9. ▲ ... (sich verlassen)
   ● Auf meine Eltern.

10. ▲ ... (warten)
    ● Auf bessere Zeiten.

13 Complete with the missing prepositions, *da-* and endings.

1. Ich kann mich nicht _____ erinnern, dass sie sich auch nur ein einziges Mal _____ zu viel Arbeit beschwert hätte.

2. Hast du dich _____ dein___ neu___ Chef _____ erkundigt, _____ welch___ Fortbildungskurs du teilnehmen kannst?

3. Bitte stör mich jetzt nicht! Ich muss mich _____ mein___ Arbeit konzentrieren.

4. Kann ich mich _____ verlassen, dass Sie sich _____ unser___ neu___ Gäste kümmern?

5. Kannst du mich bitte im Reisebüro _____ erinnern, dass ich mich auch _____ den Preisen für einen Flug nach Rom erkundige?

6. Haben Sie sich im Urlaub gut _____ Stress der letzten Wochen erholt?

7. Sprich doch mal _____ dein___ Vater _____ dein___ Probleme. Vielleicht kann er dir helfen.

8. Pass gut _____ d___ Kleinen auf, wenn du mit ihnen über diese gefährliche Straße gehst. Die Autos fahren hier sehr schnell.

9. Ich wundere mich schon lange nicht mehr_____ , dass sie sich alle paar Monate _____ ein___ ander___ Mann verliebt.

10. Erzählen Sie mir doch ein bisschen _____ Ihr___ letzt___ Cluburlaub.

14 Using only capital letters (Ä = AE), complete the crossword and find the name of a famous German author.

1. Ich hätte mich sehr gefreut, wenn du mich besucht _____ .
2. Vielen Dank für Ihr Angebot, aber Sie _____ mir wirklich nicht zu helfen. Ich kann das schon allein.
3. Ich _____ leider nicht kommen. Ich hatte keine Zeit.
4. Ich kann jetzt nicht telefonieren. Ich wasche _____ gerade die Haare.
5. Wir warten hier _____ Sie.
6. Warum _____ du nicht auf Angelas Party?
7. _____ wir eine kurze Pause? Ich brauche einen Kaffee.
8. _____ mich jetzt bitte in Ruhe!
9. Los, fangen wir _____ !
10. Haben Sie sich schon _____ den Hotelpreisen erkundigt?

2.1 Nouns
Noun Declension

Gender

Every German noun has a fixed gender which can be recognised by the article *der, die, das.*

> There are three genders in German:
>
> masculine   *der Mann, der Löffel*
>
> feminine   *die Frau, die Gabel*
>
> neuter   *das Kind, das Messer*

It seems logical that *der Mann* should be masculine, *die Frau* feminine.
These nouns follow their natural gender. But why should *der Löffel* be masculine, *die Gabel* be feminine and *das Messer* be neuter? Nobody knows. There are, however, some rules that tell you how the gender of a noun can be recognised by means of its ending, although these are just rules of thumb and do not apply to all nouns. For this reason, it is recommended that each German noun should be learnt together with its article.

Some useful rules

Masculine

- male persons and male animals   *der Vater, der Affe …*
- days of the week, months, seasons, times of the day   *der Montag, der Mai, der Winter, der Morgen …*
- weather, points of the compass   *der Regen, der Osten …*
- alcoholic drinks   *der Wein, der Schnaps …* exception: *das Bier*
- male job titles   *der Arzt, der Lehrer, der Maler, der Praktikant …*

Feminine
- female persons — *die Tante, die Mutter ...*
  exception: *das Mädchen*
- many plants — *die Rose, die Tulpe ...*
- female job titles — *+ in: die Ärztin, die Lehrerin, die Malerin, die Praktikantin ...*
- nouns derived from a verb and ending with the letter *t* — *fahren → die Fahrt,*

Neuter
- infinitives and adjectives used as nouns — *essen → das Essen, gut → das Gute ...*

	Masculine	Feminine	Neuter
always	-ismus *Realismus*	-ung *Rechnung*	-chen *Mädchen*
	-ling *Liebling*	-heit *Freiheit*	-lein *Tischlein*
	-or *Motor*	-keit *Höflichkeit*	
		-schaft *Freundschaft*	
		-ion *Nation*	
		-ei *Bäckerei*	
		-ur *Kultur*	
in most cases	-er *Koffer*	-e *Lampe*	-um *Zentrum*
			-ment *Instrument*

Compound nouns

Compound nouns have the gender of the last component.

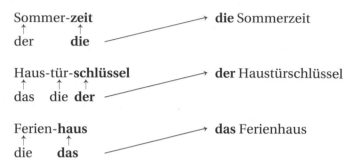

Sommer-**zeit** → **die** Sommerzeit
der   **die**

Haus-tür-**schlüssel** → **der** Haustürschlüssel
das die **der**

Ferien-**haus** → **das** Ferienhaus
die   **das**

▶ Exercises 1–5

Noun plurals

There are 5 ways in which nouns form the nominative plural. These are not watertight rules but they are mostly accurate.

Singular	Plural		
-r Koffer	-e Koffer	–	nouns ending in -*er*, -*en*, -*el*, -*chen*, -*lein*
-r Apfel	-e Äpfel	¨	
-r Tisch	-e Tische	-e	many masculine nouns
-e Maus	-e Mäuse	¨e	monosyllabic feminine and neuter nouns
-s Kind	-e Kinder	-er	monosyllabic neuter nouns
-r Mann	-e Männer	¨er	some masculine nouns
-e Lampe	-e Lampen	-n	many feminine nouns
-e Uhr	-e Uhren	-en	
-r Student	-e Studenten	-en	type 2 declension (n-declension)
-s Auto	-e Autos	-s	nouns ending in -*a*, -*i*, -*o* and many foreign words

In most cases a, o, u change to ä, ö, ü in the plural.

Exceptions

die Lehrerin – die Lehrerin**nen**
die Schülerin – die Schülerin**nen**

das Gymnas**ium** – die Gymnas**ien**
das Mus**eum** – die Mus**een**

das Them**a** – die Them**en**
die Firm**a** – die Firm**en**

▶ Exercises 6–10

Case

Every German noun can have different cases. Which case a noun and the article (or the adjective) have depends on their function in the clause. This function can be determined by the verb (Ich *mache* die Hausaufgabe.), by a preposition (Er steht *vor* dem Haus.) or by another noun (Das ist *die Tasche* meiner Mutter.).

German has four cases:

Nominative	*Ich* esse gern.
Accusative	Ich esse gern *Kuchen*.
Dative	Ich gebe *dir* das Buch am Wochenende zurück.
Genitive	Ich weiß nicht mehr den Namen *des Autors*.

	Masculine I	Masculine II n-declension	Feminine	Neuter
Singular				
Nominative	der Mann	der Junge	die Frau	das Kind
Accusative	den Mann	den Jungen	die Frau	das Kind
Dative	dem Mann	dem Jungen	der Frau	dem Kind
Genitive	des Mann**es**	des Jungen	der Frau	des Kind**es**
Plural				
Nominative	die Männer	die Jungen	die Frauen	die Kinder
Accusative	die Männer	die Jungen	die Frauen	die Kinder
Dative	den Männern	den Jungen	den Frauen	den Kindern
Genitive	der Männer	der Jungen	der Frauen	der Kinder

Special features

- the genitive ending is -*es* for most monosyllabic nouns and most nouns ending in -*s*, -*ß*, -*x*, -*z*, -*tz*

  des Gesetzes, des Hauses ...

- -*s* is added to the genitive of proper nouns

  Goethes Erzählungen, Peters Freundin

  in colloquial German also:

  die Freundin von Peter

  proper nouns ending in -*s* just add an apostrophe

  Thomas' Buch

  in colloquial German also:

  das Buch von Thomas

- noun + -*(e)n* in the dative plural

  den Lehrern, den Heften ...

  exceptions:
  nouns with a plural ending in -*s*

  den Autos ...

  nouns ending in -*n*

  den Mädchen ...

n-declension

The following nouns belong to this group:

- male persons and animals ending in -*e*

  Junge, Kollege, Franzose, Affe ...

- masculine nouns derived from Latin or Greek ending in -*and*, -*ant*, -*ent*, -*ist*, -*oge*, -*at*

  Doktorand, Demonstrant, Präsident, Polizist, Biologe, Demokrat ...

- some masculine nouns of this group have an additional -*s* in the genitive

  der Gedanke – des Gedankens
  der Buchstabe – des Buchstabens
  der Name – des Namens
  der Friede – des Friedens

Nationalities	Type 1 - Masculine I	Type 2 - Masculine II (n-declension)
Nominative	der Italiener	der Franzose
Accusative	den Italiener	den Franzose**n**
Dative	dem Italiener	dem Franzose**n**
Genitive	des Italieners	des Franzose**n**

Also:

Belgier	Brite
Engländer	Bulgare
Holländer	Däne
Norweger	Finne
Österreicher	Grieche
Schweizer	Ire
Spanier	Schotte
	Pole
	Portugiese
	Rumäne
	Russe
	Schwede
	Slowake
	Tscheche
	Türke
	Ungar
Afrikaner	Asiate
Amerikaner	
Australier	

Exception:
Der/die Deutsche declines like an adjective.
▶ *Adjectives* see pages 112–115

The feminine nationality nouns always takes
the ending *-in*, *-innen*:

Italienerin, Italienerinnen, Französin, Französinnen

▶ Exercises 11–15

▶ 💿 Chapter 2, exercises 1–3

1 der, die or das?
Put the nouns into the appropriate column.

Student   Juni   Hähnchen   Montag   Herbst   Sehenswürdigkeit
Information   Bäckerei   Doktor   Ordnung   Mädchen   Brötchen
Kleidung   Kindlein   Sendung   Lehrer   Sicherheit   Tourist   Polizei
Heizung   Tasche   Auge   Gesundheit   Reparatur   Arzt

der	die	das
Student	...	...

2 You always find the following information in a dictionary entry: noun, article, nominative plural ending. Write out like in the example.

1. Haus, das, ¨er   _das Haus, die Häuser_
2. Zeugnis, das, -se
3. Studentin, die, -nen
4. Anzug, der, ¨e
5. Einwohner, der, -
6. Firma, die, -en
7. Schloss, das, ¨er
8. Anfang, der, ¨e
9. Tür, die, -en
10. Gymnasium, das, -en
11. Operation, die, -en
12. Briefkasten, der, ¨en

3 Supply the correct article.

die Stunde

____ Koffer

____ Bäckerei

____ Einsamkeit

____ Terror

____ Dokument

____ Direktor

____ Mädchen

____ Dose

____ Bücherei

____ Reaktor

____ Museum

____ Kommunismus

____ Schwierigkeit

____ Parlament

____ Situation

____ Religion

____ Mehrheit

____ Lehrling

____ Achtung

____ Gesellschaft

____ Tischlein

____ Figur

____ Instrument

4 The odd one out. Which noun has a different article?

1. Lösung
   Rose
   Sozialismus
   Logik

2. Regen
   Natur
   Italiener
   Motor

3. Neuling
   Katholizismus
   Montag
   Bier

4. Schönheit
   Rauchen
   Engagement
   Studium

5. Klugheit
   Abend
   Oma
   Astrologin

6. Stöckchen
   Beste
   Element
   Wissenschaft

5 Make compound nouns and supply the article.

1. Kaffee	Bett	→	*das Kinderbett*
2. Glück	Mann	→	_____
3. Hotel	Maschine	→	_____
4. Regen	Hafen	→	_____
5. Brief	Wunsch	→	_____
6. Kinder	Zimmer	→	_____
7. Ehe	Büro	→	_____
8. Reise	Tasche	→	_____
9. Flug	Schirm	→	_____

6 Singular or plural?
Put the nouns into the appropriate column.

Eier Flugzeug Ding Hose Meinungen Radios Stadtplan
Züge Kette Ampel Brille Kleider Stunde Haar Haus
Autos Krankheit Vogel Tier Schloss

Singular	Plural
...	Eier
	...

7 Supply the correct plural ending including an umlaut where required.

| – / ¨ | -e / ¨e | -n / -en | -er / ¨er | -s |

1. die Position, _-en_
2. die Maus, _____
3. der Freund, _____
4. die Ausbildung, _____
5. der Berg, _____
6. das Foto, _____
7. das Kind, _____

8. der Saft, _____
9. der Baum, _____
10. der Lehrer, _____
11. das Sofa, _____
12. der Physiker, _____
13. die Blume, _____
14. der Vater, _____

8 Supply the correct plural ending including an umlaut where required.

1. Kommt ihr mit euren Kinder_____ zur Party am Samstag?
2. Ich komme gleich. Ich kaufe nur noch schnell zwei Flasche_____ Wein.
3. Wie viele Student_____ und Studentin_____ sind in Ihrem Kurs?
4. Sind hier noch zwei Platz_____ frei?
5. Er hat große Angst vor Prüfung_____ .
6. Sie fliegt nicht gern in kleinen Flugzeug_____ .
7. Ich lebe gern in kleinen Dorf_____ .
8. Wie viele Auto_____ haben Sie denn?
9. Wir helfen gern den alten Mensch_____ .
10. Unser Chef hat drei Sekretärin_____ .

9 Please answer.

1. Was gibt es in einem Wald?
   Bäume, Äste, ...
   _____
   _____

2. Was haben Sie in Ihrer Schreibtischschublade?
   Papiere, ...
   _____
   _____

3. Welche Früchte wachsen in Ihrem Land?
   _____
   _____
   _____

4. Von welchen Kleidungsstücken haben Sie mehr als eins in Ihrem Kleiderschrank?
   _____
   _____
   _____

10 Supply the correct plural ending including an umlaut where required.

Meine Dame___ und Herr___ !
Sehr verehrte Kundin___ und Kund___ !
Wir haben heute wieder ganz tolle Sonderangebot___ für Sie.

Für die Dame___ :
    Rock___
    Bluse___
    Jacke___
    Schuh___   für nur 29,– €

Für die Herr___ :
    Krawatte___
    Seidenhemd___
    Ledergürtel___
    Pullover___   für nur 19,– €

Und für unsere Klein___ :
    kurze Hose___
    T-Shirt___
    Badeanzug___
    Sommerhut___   für nur 9,– €

11 Dative plural: Supply the correct endings.

1. Die Lehrerin hilft den Student_____ viel.
2. Du kannst den Ball nicht mitnehmen. Er gehört den Mädchen_____ dort.
3. Heute Abend koche ich mit meinen spanischen Freund_____ eine Paella.
4. Diese Uhr habe ich von meinen Eltern_____ zum Geburtstag bekommen.
5. Der Direktor dankte in seiner Rede allen Arbeiter_____ .
6. Morgen gehe ich mit meinen Kinder_____ ins Schwimmbad.

12 Genitive singular and plural: Supply the correct endings.

1. Wir kommen am Ende der Woche_____ .
2. Die Aussprache meiner Student_____ (fem. Pl.) ist sehr gut.
3. Ich besuche dich Anfang des Monat_____ .
4. Die Angestellten der Post_____ verdienen wenig.
5. Die Nasen der Affe_____ sehen sehr lustig aus.
6. Die Liebe seiner Mutter_____ hat ihm bei dieser schweren Krankheit viel geholfen.

101

13 Match the parts and supply the correct genitive ending.

Maria	Büro ist im 2. Stock.
Dr. Müller	bester Pianist heißt …
Deutschland	Symphonien habe ich alle auf CD.
Thomas	Freundin ist sehr hübsch.
Mozart	Mann arbeitet bei Siemens.
Frankreich	Geburtshaus steht in Salzburg.
Beethoven	Hauptstadt ist Paris.
Peter	Motorrad war teuer

Thomas' Motorrad war teuer.

…

14 Masculine nouns: Supply the correct endings.

1. Im Tierpark haben wir einen kleinen Affe____ gesehen.

2. Hast du schon den neuen Film____ mit Tom Cruise gesehen?

3. Die Kolleg____ in meiner neuen Firma sind sehr hilfsbereit.

4. Haben deine Student____ auch Probleme mit der Adjektivdeklination?

5. Gestern Abend habe ich meiner Freundin einen langen Brief____ geschrieben.

6. Schau, da auf dem Baum sitzen zwei wunderschöne Vögel____ !

7. Euer Fußballclub hat einen sehr guten Präsident____ .

8. Die Lieferant____ kamen zu spät.

9. Ich kann mich nicht an den Name____ meines Kollege____ erinnern.

10. Wie viele Koffer____ nimmst du mit?

11. Ich nehme keinen Koffer____ mit, sondern nur zwei Tasche____ .

12. Die nächsten Monat____ habe ich viel zu tun.

15 What do you call the inhabitants of ...?

	male	female
England	*Engländer, -*	*Engländerin, -nen*
Griechenland		
Europa		
Türkei		
Österreich		
Irland		
Spanien		
Russland		
Rumänien		
Norwegen		
Dänemark		
Schottland		
Asien		
Holland		
Portugal		
Amerika		
Polen		
Finnland		
Frankreich		
Schweiz		
Italien		

2.2 Nouns
Article words

Use

Article words can stand on their own or together with an adjective/participle in front of a noun.

das Auto	ein Auto	*Article + noun*
das rote Auto	ein rotes Auto	*Article + adjective + noun*
das gestohlene Auto	ein gestohlenes Auto	*Article + past participle + noun*

In a text nouns are usually introduced with the **indefinite article:**

Hast du schon gehört? Daniel hat sich *ein* neues Auto gekauft.

The **definite article** refers to something which is known to both the speaker and listener, or to things or concepts that are common knowledge:

Das neue Auto von Daniel ist wirklich super!
Die Kunst des 19. Jahrhunderts finde ich sehr interessant.

The **adjective ending** depends on the article word which precedes it:

definite article	*indefinite article*	*zero article*
das rote Auto	**ein** rot**es** Auto	rot**e** Autos

It is therefore important to know which declension group an article word belongs to.

Declension as the definite article

Formation

	Masculine	Feminine	Neuter	Plural
Nominative	der	die	das	die
	dieser	diese	dicscs	diese
	jeder	jede	jedes	alle
	mancher	manche	manches	manche
Accusative	den	die	das	die
	diesen	diese	dieses	diese
	jeden	jede	jedes	alle
	manchen	manche	manches	manche
Dative	dem	der	dem	den
	diesem	dieser	diesem	diesen
	jedem	jeder	jedem	allen
	manchem	mancher	manchem	manchen
Genitive	des	der	des	der
	dieses	dieser	dieses	dieser
	jedes	jeder	jedes	aller
	manches	mancher	manches	mancher

Memobox 1

	Masc.	Fem.	Neut.	Plural
Nom.	-r	-e	-s	-e
Acc.	-n	-e	-s	-e
Dat.	-m	-r	-m	-n
Gen.	-s	-r	-s	-r

Declension as the indefinite article

Formation

	Masculine	Feminine	Neuter	Plural
Nominative	ein	eine	ein	–
	kein	keine	kein	keine
	mein*	meine	mein	meine
	irgendein	irgendeine	irgendein	irgendwelche
Accusative	einen	eine	ein	–
	keinen	keine	kein	keine
	meinen*	meine	mein	meine
	irgendeinen	irgendeine	irgendein	irgendwelche
Dative	einem	einer	einem	–
	keinem	keiner	keinem	keinen
	meinem*	meiner	meinem	meinen
	irgendeinem	irgendeiner	irgendeinem	irgendwelchen
Genitive	eines	einer	eines	–
	keines	keiner	keines	keiner
	meines*	meiner	meines	meiner
	irgendeines	irgendeiner	irgendeines	irgendwelcher

* Also: dein, sein, ihr/Ihr, unser, euer.

Memobox 2

	Masc.	Fem.	Neut.	Plural
Nom.	–	-e	–	-e
Acc.	-n	-e	–	-e
Dat.	-m	-r	-m	-n
Gen.	-s	-r	-s	-r

German has two possessive adjectives for the third person singular (*sein*/*ihr*) – depending on the gender of the owner – with two endings (*–*/*-e*) depending on the gender of the noun:

er/es → sein	Das Auto gehört **Herrn** Müller.	=	Es ist **sein** Auto.
sie → ihr	Das Auto gehört **Frau** Müller.	=	Es ist **ihr** Auto.
er/es → sein	Di**e** Uhr gehört Herrn Müller.	=	Es ist sein**e** Uhr.
sie → ihr	Di**e** Uhr gehört Frau Müller.	=	Es ist ihr**e** Uhr.

Zero article

Use

the plural of the indefinite article
Haben Sie Kinder?

proper names
Das ist Peter.

towns, countries, continents
Ich lebe in London/England/Europa.

expressions of time without a preposition
Ich komme nächste Woche.

professions
Er ist Arzt.

nationalities
Sie ist Engländerin.

after expressions of measurement, amount, weight
Bring bitte zwei Kilo Kartoffeln mit!

indefinite amounts
Brauchst du noch Geld?

materials
Die Bluse ist aus Baumwolle.

idiomatic expressions
Ende gut, alles gut.

The zero article can only be used without an adjective, otherwise the indefinite or definite article has to be used:

▶ Exercises 1–6

▶ Chapter 2, exercises 4–5

Er ist ⟋ Arzt.	Er ist ein guter Arzt.
Er hat früher in ⟋ Berlin gelebt.	Er hat früher im geteilten Berlin gelebt.

1 Definite article, indefinite article or no article? Please complete.

die	die	eine	eine	eine	eine	–	–	ein	ein

1. ▲ Ist hier _____ Supermarkt?
   ● Nein, warum fragst du?
   ▲ Wir brauchen noch _____ Äpfel, _____ Kartoffeln, _____ Flasche Orangensaft, _____ Dose Tomaten, _____ Stück Butter …

2. ▲ Entschuldigen Sie, gibt es hier _____ Bäckerei?
   ● Ja, schauen Sie, dort ist _____ Bäckerei „Huber".
   ▲ Ach ja, danke!

3. ▲ Hallo Lisa, wie geht's?
   ● Danke, sehr gut. Ich habe jetzt endlich _____ neue Wohnung.
   ▲ Das ist ja super! Wo liegt denn _____ Wohnung?
   ● In der Schützenstraße.

2 *mein, dein, sein, ihr, unser, euer*: Supply the correct forms.

1. Diese Kinder! Immer lassen sie _____ Spielsachen in der Küche liegen!
2. Antonio hat schon wieder _____ Schlüssel (Sing.) verloren.
3. Nein, Kinder, jetzt könnt ihr noch nicht spielen gehen. Ihr müsst zuerst _____ Zimmer aufräumen.
4. _____ Lehrer gibt uns immer zu viele Hausaufgaben.
5. Sag mal, wo ist denn _____ Lehrerin?
6. Oma sucht _____ Brille. Habt ihr sie gesehen?
7. Ich kann leider nicht mitkommen. _____ Fahrrad ist kaputt.
8. Hans ist immer noch krank. _____ Halsschmerzen sind noch nicht besser.
9. Wie war denn _____ Reise? – Sehr schön, wir haben viel gesehen, und _____ Reiseleiterin war ganz toll.
10. Hast du _____ Tasche gesehen? – Nein. Aber vielleicht hast du sie ja zu Hause vergessen.

3 Definite article, indefinite article or no article? Please complete.

1. Heute ist _____ 23. April (m.).
2. Kannst du mir bitte _____ Liter (m.) _____ Milch (f.) aus _____ Supermarkt (m.) mitbringen?
3. Er kommt _____ nächste Woche (f.).
4. Haben Sie _____ Hunger (m.)? – Nein, ich habe gerade _____ Spaghetti (Pl.) gegessen.
5. Möchten Sie noch _____ Fleisch (n.)?
6. Gib bitte _____ Brigitte (f.) _____ Buch (n.).
7. Meine Mutter ist _____ Lehrerin (f.) von Beruf.
8. Kennen Sie _____ Alfred Brendel (m.)?
   Er ist _____ berühmter deutscher Pianist (m.).
9. Sie ist _____ Amerikanerin (f.).
10. Könntest du bitte einkaufen gehen? Wir brauchen noch _____ Butter (f.), _____ Äpfel (Pl.), _____ Flasche (f.) Cola und _____ Päckchen (n.) Reis.

4 Nominative, accusative or dative:
Supply the correct endings of the article words.

1. Dies_e_ Farbe (Nom.) gefällt mir gar nicht.
2. Musst du denn wirklich jed___ Abend (Akk.) arbeiten?
3. Können Sie mir bitte noch ein___ Glas (Akk.) Mineralwasser bringen?
4. Verstehst du Bairisch? Ich verstehe manch___ Leute (Akk.) in Bayern sehr schlecht.
5. Wie findest du mein___ neuen Schuhe (Akk.)?
6. In dies___ Stadt (Dat.) war ich schon in all___ Museen (Dat.).
7. Ich brauche etwas zum Schreiben. Gib mir mal bitte irgendein___ Stift (Akk.).
8. Dies___ Art (Nom.) von Filmen gefällt mir nicht.
9. Unser___ Großmutter (Nom.) bäckt d___ besten Apfelstrudel (Akk.).
10. Wir stehen jed___ Morgen (Akk.) um 6.30 Uhr auf.
11. In dies___ Lehrbuch (Dat.) sind manch___ Übungen (Nom.) ganz gut.
12. Kinder, nehmt eur___ Badesachen (Akk.) mit. Wir gehen noch ins Schwimmbad.
13. Ich habe Ihr___ Frage (Akk.) nicht ganz verstanden.
14. Ich habe leider kein___ Geschwister (Akk.).
15. Ich finde Ihr___ Haus (Akk.) wunderschön!
16. Sie geht jed___ Tag (Akk.) zum Schwimmen.

5 Article or no article?
Please complete.

1. ▲ Hast du in _____ Deutschland
auch so gern _____ Brötchen
zum Frühstück gegessen?
● Ja, natürlich. Jeden Morgen
_____ Brötchen mit _____
Marmelade und danach _____
Scheibe Brot mit _____ Butter.
Dazu habe ich immer _____
Tasse Kaffee mit _____ Milch
und _____ Zucker getrunken.
▲ Das ist ja _____ typisch
deutsches Frühstück!
Du bist ja fast _____ Deutsche
geworden.
● Nein, nein. Aber _____ deutsche
Frühstück schmeckt mir sehr
gut.

2. ▲ Warum fahren Sie denn jedes
Jahr im Urlaub nach _____
Österreich?
● Meine Eltern sind _____
Deutsche, aber sie leben in
_____ kleinen Dorf in
Österreich, in der Nähe der
deutschen Grenze. Besonders
_____ Kinder fahren sehr gern
dorthin.

3. ▲ Würden Sie lieber in _____
Dorf oder in _____ Stadt
wohnen?
● Ich weiß nicht. Als ich in _____
Madrid gelebt habe, hat mir
_____ Großstadtleben eigentlich
sehr gut gefallen.

4. ▲ Haben Sie Hunger?
● Ja, denn ich habe heute Morgen
nur _____ Milch getrunken.
▲ Dann mache ich Ihnen schnell
_____ Suppe warm.
● Danke, das wäre sehr nett.

5. ▲ Sollen wir noch in _____
Restaurant gehen?
● Tut mir leid, aber ich habe kein
Geld dabei.
▲ Macht nichts, ich lade dich ein,
ich habe genug _____ Geld dabei.
● Das ist sehr nett von dir. Wir
müssen ja nicht in _____ teures
Restaurant gehen. Ich esse
sowieso am liebsten _____
Spaghetti.

6 Find a suitable article word and supply it in its correct form.

manche	alle	dieser	ein	jeder	kein	der

1. _Manche_ Studenten in meiner Klasse sind immer pünktlich.

2. Wir sind Frühaufsteher. Wir stehen _____ Tag um 6.00 Uhr auf.

3. _____ Reise werde ich nie vergessen!

4. Kennen Sie _____ Mann dort?

5. Im Großen und Ganzen habe ich _____ Text verstanden, aber nicht _____ Wörter.

6. Hallo Klaus, wir machen am Samstag eine Party. Wir kaufen _____ Getränke, und _____ Gäste sollten bitte etwas zu essen mitbringen.

7. Darf ich Ihnen _____ Tasse Tee anbieten? – Nein danke, um _____ Uhrzeit trinke ich _____ Tee mehr, sonst kann ich nicht schlafen.

8. Mir haben fast _____ Arien in _____ Oper gefallen.

9. _____ Anfang ist schwer.

10. Vielen Dank, aber ich möchte jetzt nichts essen. Ich habe _____ Hunger.

11. Haben Sic wirklich _____ Bücher von Goethe gelesen?

12. _____ Pullover kannst du nicht mehr anziehen. Er ist doch ganz schmutzig.

13. Nein danke, ich mag _____ Wodka. Ich trinke fast nie Alkohol.

14. _____ Mann dort kenne ich.

2.3 Nouns
Adjectives

▲ Das ist aber eine tolle Tasche!   *before a noun (attributive) with an ending*

   Ist sie neu?   *with ‚sein'/‚werden' (predicative): no ending*

● Ja, ich habe sie gestern gekauft.

Declension of adjectives

Below you will find tables explaining the declension of adjectives placed directly in front of a noun. Only these have adjective endings.

An adjective not followed by a noun can also have an ending if the noun it refers to has previously been mentioned and is not repeated.

▲ Gefällt dir die bunte Tasche?
● Ja, aber die schwarze finde ich noch schöner.

There are two basic declensions for attributive adjectives:
Type 1 after definite article words

der neu**e** Film
die neu**e** Uhr
das neu**e** Haus

Type 2 after indefinite article words

ein neu**er** Film
eine neu**e** Uhr
ein neu**es** Haus

Adjectives after definite article words (type 1)

Definite article words are
der, dieser, jeder/alle, mancher.
▶ see page 105

	Masculine	Feminine	Neuter	Plural
Nom.	der neue Film	die neue Uhr	das neue Haus	die neuen Filme
Acc.	den neuen Film	die neue Uhr	das neue Haus	die neuen Filme
Dat.	dem neuen Film	der neuen Uhr	dem neuen Haus	den neuen Filmen
Gen.	des neuen Films	der neuen Uhr	des neuen Hauses	der neuen Filme

Memobox 3

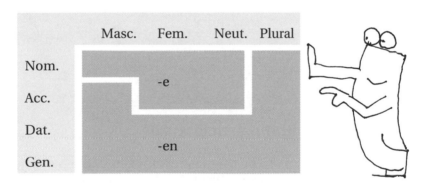

Adjectives after indefinite article words (type 2)

Indefinite article words are
ein, kein, mein, irgendein.
▶ see page 106

	Masculine	Feminine	Neuter	Plural
Nom.	ein neu**er** Film	eine neu**e** Uhr	ein neu**es** Haus	keine neu**en** Filme
Acc.	einen neu**en** Film	eine neu**e** Uhr	ein neu**es** Haus	keine neu**en** Filme
Dat.	einem neu**en** Film	einer neu**en** Uhr	einem neu**en** Haus	keinen neu**en** Filmen
Gen.	eines neu**en** Films	einer neu**en** Uhr	eines neu**en** Hauses	keiner neu**en** Filme

Memobox 4

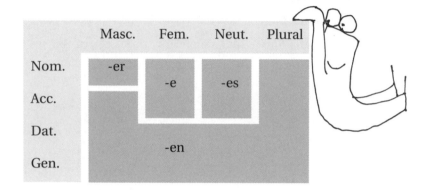

	Masc.	Fem.	Neut.	Plural
Nom.	-er	-e	-es	
Acc.				
Dat.		-en		
Gen.				

Adjectives without article words

You have come across the endings of adjectives without article words before, as they are identical with the final letter of the definite article.

▶ *Memobox 1* see page 105

Accusative
example

den Wein	Ich trinke gern französisch**en** Rotwein.
die Schokolade	Ich esse gern deutsch**e** Schokolade.
das Obst	Ich esse gern frisch**es** Obst.

Exceptions

The masculine and neuter genitive in the singular have the adjective ending -*en* (Ich liebe den Geruch frisch*en* Kaffees / Bieres). These forms are, however, used very rarely.

Note the different endings of the article words and adjectives:

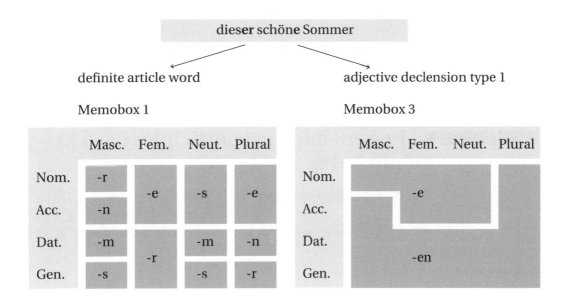

dies**er** schön**e** Sommer

definite article word → adjective declension type 1

Memobox 1

	Masc.	Fem.	Neut.	Plural
Nom.	-r	-e	-s	-e
Acc.	-n	-e	-s	-e
Dat.	-m	-r	-m	-n
Gen.	-s	-r	-s	-r

Memobox 3

	Masc.	Fem.	Neut.	Plural
Nom.		-e		
Acc.		-e		
Dat.		-en		
Gen.		-en		

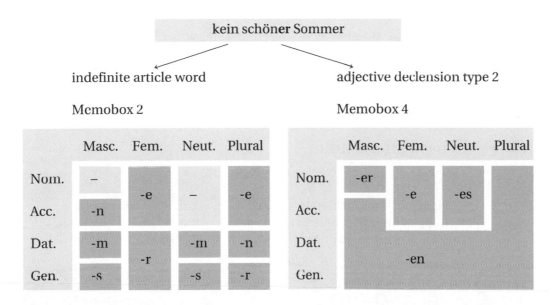

kein schön**er** Sommer

indefinite article word → adjective declension type 2

Memobox 2

	Masc.	Fem.	Neut.	Plural
Nom.	–	-e	–	-e
Acc.	-n	-e	–	-e
Dat.	-m	-r	-m	-n
Gen.	-s	-r	-s	-r

Memobox 4

	Masc.	Fem.	Neut.	Plural
Nom.	-er	-e	-es	
Acc.	-en	-e	-es	
Dat.	-en	-en	-en	-en
Gen.	-en	-en	-en	-en

Exceptions			
	teuer	ein teures Haus	always drop the *-e-*
	dunkel	ein dunkles Zimmer	always drop the *-e-*
	hoch	ein hoher Turm	always drop the *-c-*
	rosa	ein rosa Kleid	adjectives with final *-a*: no adjective ending
		der Hamburger Hafen	adjectives derived from names of towns: always *-er*

Present and past participles used as adjectives

der blühende Apfelbaum	infinitive + *d* (present participle) + adjective ending
das geschlossene Fenster	past participle + adjective ending

▶ Exercises 1–11

Comparison of adjectives

Comparative

▲ Welches Sweatshirt findest du *schöner*, das blaue oder das rote?

Superlative

● Mir gefällt keins von beiden besonders. Schau mal, dieses bunte, das ist *das schönste* von allen hier. Mir gefällt es jedenfalls *am besten*.

Adjectives used after a noun

	Comparative: *-er*	Superlative: *am -sten*
klein	Auto B ist klei**ner** als Auto A.	Auto C ist **am** klein**sten**.
billig	Auto B ist billi**ger** als Auto A.	Auto C ist **am** billig**sten**.
schnell	Auto B fährt schnel**ler** als Auto C.	Auto A fährt **am** schnell**sten**.

Adjectives used before a noun

	Comparative	Superlative
	-er + adjective ending	*-st + adjective ending*
klein	Ich kaufe das klein**er**e Auto.	Ich kaufe das klein**ste** Auto.
billig	Ich kaufe das billig**er**e Auto.	Ich kaufe das billig**ste** Auto.
schnell	Ich kaufe das schnell**er**e Auto.	Ich kaufe das schnell**ste** Auto.

Exceptions

	Comparative	Superlative	
gut	besser	am besten	
viel	mehr	am meisten	*mehr* and *weniger* do not decline
gern	lieber	am liebsten	
dunkel	dunkler	am dunkelsten	
teuer	teurer	am teuersten	
warm	wärmer	am wärmsten	*a, o, u → ä, ö, ü*
jung	jünger	am jüngsten	(with most monosyllabic
klug	klüger	am klügsten	adjectives)
wild	wilder	am wildesten	*-est* after *-d, -t, -s, -ss, -ß*
breit	breiter	am breitesten	*-sch, -x, -z*
hübsch	hübscher	am hübschesten	
nah	näher	am nächsten	
hoch	höher	am höchsten	

The use of *wie* and *als*

Equality	Lisa ist genau**so** groß **wie** Georg.	*so ... wie*
Difference	Aber Lisa ist größ**er als** Angela.	comparative *+ als*

▶ Exercises 12–19

Adjectives/Participles used as nouns

Adjectives and participles used as nouns decline in exactly the
same way as adjectives preceding nouns.

▲ Wie war denn deine letzte Reisegruppe? Waren wieder so
viele Rentner dabei?

● Nein, diesmal nicht. Es waren sogar ein paar **Jugendliche** ①
unter den **Reisenden** ②, und **das Schönste** ③ war, dass
auch zwei alte **Bekannte** ④ von mir mitgefahren sind.

① + ③ + ④	adjectives used as nouns
②	present participle used as a noun

		Masculine	Feminine	Plural
Type 1				
	Nominative	der Angestellte	die Angestellte	die Angestellten
	Accusative	den Angestellten	die Angestellte	die Angestellten
	Dative	dem Angestellten	der Angestellten	den Angestellten
	Genitive	des Angestellten	der Angestellten	der Angestellten
Type 2				
	Nominative	ein Angestellter	eine Angestellte	Angestellte
	Accusative	einen Angestellten	eine Angestellte	Angestellte
	Dative	einem Angestellten	einer Angestellten	Angestellten
	Genitive	eines Angestellten	einer Angestellten	Angestellter

Adjectives used as nouns	der/die Arbeitslose, der/die Bekannte, der/die Blonde, der/die Deutsche, der/die Fremde, der/die Kranke, der/die Schuldige, der/die Tote, der/die Verwandte, das Gute, das Beste, der/die Schnellste …
Present participles used as nouns	der/die Abwesende, der/die Anwesende, der/die Auszubildende, der/die Reisende, der/die Vorsitzende …
Past participles used as nouns	der/die Angestellte, der Beamte/die Beamtin, der/die Betrunkene, der/die Gefangene, der/die Verheiratete, der/die Verletzte, der/die Verliebte, der/die Vorgesetzte …

▶ Exercises 20–22

▶ 💿 Chapter 2, exercises 6–8

1 Nominative: Ask questions.

1. das Kleid – rot – schwarz
   Welches Kleid gefällt Ihnen besser,
   das rote oder das schwarze?
2. die Hose – schwarz – blau
3. die Schuhe – braun – weiß
4. der Pullover – bunt – einfarbig
5. das Hemd – kariert – gestreift
6. der Mantel – dick – dünn
7. die Taschen – groß – klein
8. die Jacke – blau – grün

2 Nominative (N) and accusative (A): Supply the correct endings.

1. Die letzt___ Aufgabe (N) war
   schwierig.
2. Jeder neu___ Anfang (N) ist schwer.
3. Diese kaputt___ Jeans (A) kannst du
   doch nicht mehr anziehen!
4. Das blond___ Mädchen (A) dort
   finde ich sehr hübsch.
5. Wir haben den ganz___ Monat (A)
   Urlaub.
6. Zeigen Sie mir bitte alle deutsch___
   Lehrbücher (A), die Sie haben.
7. Geben Sie mir bitte den schwarz___
   Stift (A) dort.
8. Ich möchte bitte das halb___ Brot (A).
9. Fast alle jung___ Leute (N) in
   Deutschland sprechen Englisch.
10. Heute Abend sehe ich die neu___
    Freundin (A) von Franz zum ersten
    Mal.
11. Meine Großmutter hat mir diese
    schön___ Tasche (A) geschenkt.
12. Wir treffen uns jeden erst___
    Montag (A) im Monat zum
    Kartenspielen.

3 Nominative: Supply the correct endings.

1. Das ist ein sehr langweilig___ Film.
2. Sie ist eine sehr intelligent___ Frau.
3. Ist das hier Ihr neu___ Fahrrad?
   Das ist ja super!
4. Er ist meine groß___ Liebe.
5. Ihre klein___ Tochter ist wirklich
   sehr musikalisch.
6. Das ist aber ein sehr gemütlich___
   Restaurant.
7. Das ist doch kein frisch___ Brot.
   Es ist viel zu hart.
8. Sie wird sicher eine gut___ Musikerin.

4 Accusative: Write out the answers.

Was schenken Sie Ihrem Freund zum
Geburtstag?

1. das Buch – interessant
   Ich schenke ihm ein interessantes
   Buch.
2. die Uhr – neu
3. der Pullover – blau
4. das Wörterbuch – deutsch
5. der Hund – klein
6. die Torte – groß
7. das Hemd – bunt
8. die Krawatte – modern

5 Accusative: Make sentences.

Was mögen Sie gern?
Was mögen Sie nicht gern?

klein
schnell
schlecht
billig
schön
teuer lang
langweilig
fremd gut
interessant
nett

Männer
Autos
Reisen
Fernseher
Motorräder
Jobs
Restaurants
Filme
Kinder
Länder
Leute
Tiere

Ich mag gern *fremde Länder.*

Ich mag keine *langweiligen Filme.*

...

6 Supply the correct endings.

Beatrice kritisiert immer die Kleidung ihrer Freundin.

1. Warum trägst du eine grün___ Hose mit einer violett___ Bluse?

2. Warum trägst du im Sommer diese dick___ Strümpfe?

3. Warum kaufst du nie ein modern___ Kleid?

4. Warum trägst du einen gelb___ Mantel mit einem rot___ Hut?

5. Warum trägst du keinen schick___ Minirock mit deinen schön___ Beinen?

6. Warum gehst du nicht mit deiner gut___ Freundin Beatrice zum Einkaufen?

7 Fill in the adjective with its correct ending.

1. ▲ Gibt es hier ein _französisches_ Restaurant?
   ● Nein, nur ein _____ .

2. ▲ Hörst du immer diese _____ Rockmusik?
   ● Nein, fast nie. Meistens höre ich _____ Musik.

3. ▲ Kaufst du jede _____ CD von Robbie Williams?
   ● Nein, ich kaufe nur die _____ .

4. ▲ Warum ziehst du nicht deine _____ Schuhe an?
   ● Weil ich lieber meine _____ anziehen möchte.

5. ▲ Nimm doch noch ein Stück von ihrem _____ Kuchen!
   ● Nein danke, ich bin wirklich satt.

6. ▲ Gibt es am Sonntag in Deutschland _____ Brot zu kaufen?
   ● Ja, in einigen Bäckereien.

französisch
deutsch
laut
klassisch
neu
gut
warm
neu
gut

frisch

8 Supply the correct endings.

Attraktiv____ , jugendlich____ Mann,
Anfang 50, sucht liebevoll____ ,
sportlich____ Frau (20 bis 30 Jahre
alt), die gut____ kocht und sehr
häuslich____ ist.
Chiffre XXX

Hübsch____ , jung____ , blond____
Frau sucht einen reich____ , schwarz-
haarig____ Akademiker aus gut____
Familie mit schnell____ Auto und
dick____ Bankkonto.

Chiffre XXX

Älter____ Ehepaar mit drei
groß____ Hunden sucht für
ruhig____ , möbliert____ Zimmer
mit eigen____ Bad in schön____
Haus eine zuverlässig____
Mieterin.
Miete 450,– + Nebenkosten.

Chiffre XXX

Suche älter____ , aktiv____ und
interessiert____ Frauen und
Männer für gemeinsam____
Ausflüge, lang____
Spaziergänge und
gemütlich____ Abende.
Bitte melden Sie sich unter
Chiffre XXX

If you have problems with exercises 9–12 below, have a look at the chapters
Comparison of adjectives and *Adjectives and participles used as nouns.*
▶ *Comparison of adjectives* see pages 116–117
▶ *Adjectives and participles used as nouns* see page 118

9 Supply the correct endings.

Rotkäppchen

Es war einmal ein jung___ Mädchen,
das mit seinen lieb___ Eltern in einem
klein___ Häuschen am Rande eines
groß___ Waldes lebte. Das Mädchen
5 hatte von seiner alt___ Großmutter ein
rot___ Käppchen bekommen, mit
welchem es so hübsch___ aussah,
dass die meist___ Leute es nur ‚das
Rotkäppchen' nannten.

10 Eines Morgens sagte die Mutter zu
Rotkäppchen:

„Deine lieb___ Großmutter ist krank___
und liegt ganz allein im Bett. Deshalb
sollst du sie besuchen und ihr einen
15 groß___ Kuchen und eine Flasche Wein
bringen. Aber geh gerade durch den
dunkl___ Wald, denn dort wohnt der
bös___ Wolf."

Rotkäppchen versprach der gut___
20 Mutter, brav___ zu sein, und machte
sich auf den lang___ Weg durch den
tief___ Wald.

Es war noch nicht lange unterwegs,
da kam schon der schwarz___ Wolf,
25 der vor Hunger ganz dünn___ war und
das klein___ Mädchen gierig ansah.

„Mein lieb___ Rotkäppchen, was machst
du denn so allein im dunkl___ Wald?"

Und das ängstlich___ Mädchen
30 antwortete:

„Ich muss meiner krank___ Großmutter
diesen groß___ Kuchen und eine Flasche
Wein bringen."

Da sagte der schlau___ Wolf:

35 „Deine Großmutter wird sich noch viel
mehr freuen, wenn du ihr noch einen
groß___ Strauß von diesen gelb___ und
rot___ Blumen mitbringst."

Das Mädchen folgte dem Rat und war
40 froh, dass der Wolf schnell verschwand.
Es pflückte einen schön___ Blumenstrauß und ging dann weiter.

122

Der Wolf aber hatte einen schrecklich___ Plan.

45 Er lief schnell zum Haus der Großmutter und fraß sie mit Haut und Haaren. Dann zog er sich ihr weiß___ Nachthemd an und legte sich in das weich___ Bett der Großmutter, um auf
50 Rotkäppchen zu warten.

Nach kurz___ Zeit kam die Klein___ und betrat fröhlich___ das Haus. Im Schlafzimmer der Großmutter war es dunkel, weil der Wolf die schwer___
55 Vorhänge zugezogen hatte, und so konnte Rotkäppchen nicht viel sehen. Deshalb fragte es die Großmutter:„Aber Großmutter, warum hast du so groß___ Augen?"

60 „Damit ich dich besser sehen kann!" antwortete der listig___ Wolf.

„Großmutter, warum hast du so lang___ Ohren?" fragte das ängstlich___ Mädchen weiter.

65 „Damit ich dich besser hören kann", sagte der schwarz___ Wolf.

„Aber Großmutter, warum hast du so einen groß___ Mund?"

„Damit ich dich besser fressen kann",
70 sagte der Wolf, sprang aus dem Bett und fraß auch das klein___ Mädchen mit einem einzig___ Biss. Dann wurde er müde und legte sich wieder in das gemütlich___ Bett der Großmutter und
75 fiel in einen tief___ Schlaf.

Kurz Zeit später ging der alt___ Förster am Häuschen der Großmutter vorbei. Als er das laut___ Schnarchen des Wolfes hörte, war ihm klar, was passiert
80 war. Er betrat schnell das Zimmer, sah den bös___ Wolf und schoss ihn tot. Dann schnitt er mit seinem scharf___ Messer den dick___ Bauch des tot___ Wolfes auf und heraus kamen die nun
85 glücklich___ Großmutter und das Rotkäppchen. Als sie den Förster erkannten, waren sie sehr froh und dankten ihrem gut___ Retter sehr herzlich. Gleich setzten sie sich an den
90 rund___ Tisch, tranken heiß___ Kaffee, aßen den gut___ Kuchen und waren glücklich___ .

based on a fairy tale by the Grimm Brothers

10 Supply the correct endings.

Der Name der Stadt Rosenheim

Wie wir von einer alt___ Sage her
wissen, hat die oberbayerisch___ Stadt
Rosenheim ihren Namen von den
viel___ herrlich___ Rosen, die früher in
5 dieser schön___ Gegend gewachsen
sein sollen.

Fragt man alt___ Rosenheimer, ob
diese Sage nicht nur eine frei erfun-
den___ Geschichte für gutgläubig___
10 Touristen ist, verneinen sie das entschieden. Und auf die neugierig___
Frage, wie eine der schönst___ und
wohlriechendst___ Blumen denn an
das steinig___ Ufer des Inn gekommen
15 ist, haben sie eine einleuchtend___
Antwort bereit.

Die alt___ Römer brachten die Rosen
mit. Nahe der jetzig___ Stadt hatten sie
an der Kreuzung zweier wichtig___
20 römisch___ Handelsstraßen ein
befestigt___ Lager gebaut. Überreste
solcher römisch___ Lager findet man
auch heute noch an vielen ander___
Stellen in Deutschland.

25 Die Rosenheimer Bürger erzählen,
dass die lebensfroh___ Römer die
duftend___ Blütenblätter der Rosen
verwendeten, um verschieden___
Getränke herzustellen. Die Rosen
30 sollen auch als wohlriechend___
Tischschmuck und sogar zum
Parfümieren der einfach___ Betten
gedient haben. Als die Römer nach

langjährig___ Herrschaft schließlich
35 vertrieben wurden, erzählt die Sage
weiter, ließen sie viel___ wunder-
schön___ Rosenstöcke zurück. Diese
wuchsen bald zu einem „Rosenhain"
heran. Aus dem „Rosenhain" wurde
40 später der Name „Rosenheim".

Das Wappen der Stadt, die östlich von
München in der Nähe des idyllisch___
Chiemsees liegt, zeigt eine gefüllt___
weiß___ Rose auf rot___ Grund.

die Sage, -n: alte Erzählung von Helden und
      Kriegen
der Inn: Fluss, der durch Rosenheim fließt
die Römer (Pl.): Einwohner des alten Rom
der Hain, -e: kleiner, heller Wald
das Lager, –: Zeltstadt zum vorübergehenden
      Übernachten

11 Supply the correct endings.

Der alte Clown

Der schwer___ Vorhang öffnet sich.
Lachend tanzt der Clown in die Arena.
Wie jeden Abend wird er auch diesmal
besonders die Zuschauer erfreuen, die
5 ein wenig traurig aussehen.
In der Mitte der Manege bleibt der
lächelnd___ Clown plötzlich stehen.
Er blickt in die zahllos___ Gesichter.
Seine dick___ rot___ Nase zuckt, und
10 die klein___ weiß___ Papierblume an
seinem schwarz___ Hut bewegt sich.
Endlos lange sieht er sich um.
Ungeduldig rutschen die Zuschauer
auf ihren hart___ Sitzen hin und her.
15 Schließlich geht der Clown mit groß___
Schritten auf ein blond___ Mädchen
zu, das einen grau___ Stoffhund fest
an sich drückt.
„Du siehst ein bisschen traurig aus!",
20 sagt der Clown.
„Ich bin auch ein bisschen traurig!"
antwortet das Mädchen. „Mein arm___
Hund ist nämlich krank."
„Das ist keine gut___ Nachricht.
25 Was fehlt ihm denn?"
„Er kann nicht lachen! Kannst du ihm
das nicht beibringen?"

Nachdenklich legt der Clown den Kopf
schief.
30 „Weißt du", sagt er schließlich, „mit dem
Lachen ist es eine schwierig___ Sache.
Mancher braucht viele mühevoll___
Jahre, um es zu lernen. Andere bemühen
sich ihr ganz___ Leben lang verzweifelt
35 und lernen es nie. Auch dein vier-
beinig___ Freund wird es vielleicht nie
lernen."
Mit groß___ enttäuscht___ Augen
schaut das Mädchen den Clown an.
40 „Aber sei nicht traurig!" fährt der Clown
fort und lacht dem Kind ermunternd zu.
„Auch wer nicht lachen kann, kann sich
freuen. Ist das nicht das Wichtigst___ ?"
Erleichtert drückt das klein___ Mädchen
45 den Stoffhund noch fester an sich.
Das Publikum applaudiert minutenlang.
Der alt___ Clown dreht sich um und geht.
Das war sein letzt___ Auftritt.

12 Change the following adjectives into their comparative and superlative forms and put them into the appropriate column.

> klein   leicht   schnell   früh   klug   dunkel
>   teuer   ~~reich~~   gern   ~~arm~~   hübsch   alt   viel
> nett   hoch   gut   glücklich   laut   stark   schwierig

regular

reicher/am reichsten

...

irregular

ärmer/am ärmsten

...

13 Comparative: Change the sentences into requests.

1. Frau Laut spricht sehr leise.
   Bitte sprechen Sie lauter!
2. Jemand ist immer so ungeduldig.
3. Ihr Sohn ist nicht höflich zur Nachbarin.
4. Anita geht so langsam.
5. Jemand fährt sehr schnell Auto.
6. Die Kinder helfen ihrer Mutter zu wenig.
7. Jemand geht immer zu spät ins Bett.
8. Ihr Sohn macht das Radio immer so laut..

14 Comparative: Complete the sentences.

Herr Klein ist mit nichts zufrieden.

1. Er hat ein großes Haus, aber *er möchte ein noch größeres Haus.*
2. Er hat eine interessante Arbeit, aber ...
3. Er hat viel Geld, aber ...
4. Er hat eine gute Assistentin, aber ...
5. Er hat wertvolle Möbel, aber ...
6. Er hat nur ein Kind, aber ...
7. Er hat einen schönen Garten, aber ...
8. Er hat viel Freizeit, aber ...

15 Comparative: Fill in the appropriate adjectives.

1. Dieses Hotel ist zu teuer. Gibt es hier kein *billigeres* ?
2. Diese Übungen sind so schwierig. Ich würde lieber _____ Übungen machen.
3. Nein danke, dieser Pullover ist zu dünn. Ich suche einen _____ .
4. Der Weg ist mir zu lang. Kennst du keinen _____
5. Der Job ist mir zu langweilig. Ich suche mir einen _____ .
6. Das Restaurant war nicht gut. Nächstes Mal gehen wir aber in ein _____ .
7. Das Brot ist schon hart. Hast du kein _____ ?
8. Der Wein ist nicht gut. Nächstes Mal kaufen wir einen _____ .

16 Superlative:
Fill in the appropriate forms.

1. ▲ Wer läuft schneller, Judith, Sarah oder Hanna?
   ● Hanna läuft _____ .   schnell
2. ▲ Was ist denn los?
   ● Mein Gott, wir haben die _____ Sache vergessen.   wichtig
3. ▲ Das sind die _____ Schuhe, die ich je gekauft habe.   teuer
   ● Es sind aber auch die_____ , die du je hattest.   elegant
4. ▲ Was sind denn Ihre _____ Reisepläne?   neu
   ● Ich würde _____ nochmal nach Island fahren.   gern
5. ▲ Wer ist die _____ Frau der Welt?   reich
   ● Ich glaube, die Königin von England.
6. ▲ Wer ist denn der _____ Student im Kurs?   jung
   ● Jürgen.

17 Superlative:
Fill in the appropriate forms.

1. der _kürzeste_ Weg   kurz
2. die _____ Hotels   gut
3. ihre _____ Jeans   alt
4. die _____ Deutschen   viel
5. die _____ Aufgabe   schwierig
6. meine _____ Schwester   jung
7. der _____ Berg   hoch
8. der _____ Fluss   lang

18 Please answer.

1. Was machen Sie am liebsten?
2. Was können Sie am besten?
3. Was mögen Sie am wenigsten?
4. Was essen Sie am meisten?
5. Welche Schauspielerin finden Sie am schönsten?
6. Welchen Film finden Sie am interessantesten?

19 Comparisons: Make sentences.

1. Empire State Building – Eiffelturm – hoch
   Das Empire State Building ist höher als der Eiffelturm.

2. Elefant – Giraffe – dick sein

3. Wohnungen in München – Wohnungen in Hamburg – teuer sein

4. der ICE in Deutschland – der TGV in Frankreich – schnell fahren

5. Eis in Italien – Eis in Deutschland – gut schmecken

6. Katze – Maus – groß sein

7. Paris – Rom – mir gut gefallen

8. Eva – Angela – schnell schwimmen

20 Adjectives and participles used as nouns: Complete the sentences.

1. Beim Oktoberfest in München gibt es immer viele _Betrunkene_ (betrunken).
2. Die Zahl der _____ (arbeitslos) in Deutschland steigt.
3. Während des Sommers kommen viele _____ (fremd) nach Bayern.
4. Das _____ (schlimm; Superlativ) ist, dass ich so vergesslich bin.
5. Alle _____ (angestellt) in Deutschland haben eine Kranken-versicherung.
6. _____ (rothaarig) haben meistens eine helle Haut.
7. Seit er so schwer krank ist, lebt er wie ein _____ (gefangen) in seiner Wohnung.
8. Das _____ (schön; Superlativ) in Bayern sind die Berge.
9. Die _____ (deutsch) trinken mehr Kaffee als Tee.
10. Der Autor begrüßte alle _____ (anwesend) und begann mit seinem Vortrag.

21 Fill in the appropriate forms. ▶ *Article words* see pages 104–106, 139–140

verliebt	ein	_Verliebter_	zwei	_Verliebte_
arbeitslos	die	_____	alle	_____
neugierig	eine	_____	diese	_____
intellektuell	die	_____	alle	_____
verwandt	der	_____	zwei	_____
blind	die	_____	–	_____
anwesend	ein	_____	viele	_____
böse	eine	_____	manche	_____
bekannt	ein	_____	–	_____

22 Use the adjectives as nouns and give definitions (see example below).

krank	tot	~~jugendlich~~	betrunken	blind
~~schwarz~~		abwesend		gefangen
arbeitslos	geizig	blond	reisend	verliebt

Ein Schwarzer ist ein Mensch mit dunkler Hautfarbe.
Jugendliche sind ...
...

2.4 Nouns Numerals

Cardinal numbers

0	null	21	einundzwanzig
1	eins	22	zweiundzwanzig
2	zwei	...	
3	drei	30	dreißig
4	vier	40	vierzig
5	fünf	50	fünfzig
6	sechs	60	sechzig
7	sieben	70	sicbzig
8	acht	80	achtzig
9	neun	90	neunzig
10	zehn	100	(ein)hundert
11	**elf**	101	(ein)hunderteins
12	**zwölf**	110	(ein)hundertzehn
13	dreizehn	...	
14	vierzehn	1 000	(ein)tausend
15	fünfzehn	10 000	zehntausend
16	**sechzehn**	100 000	(ein)hunderttausend
17	**siebzehn**	1 000 000	eine Million, -en
18	achtzehn	1 000 000 000	eine Milliarde, -n
19	neunzehn		
20	**zwanzig**		

The number *1* used with a following noun takes the same endings as the indefinite article:

Ich trinke pro Tag nur *eine* Tasse Kaffee.

Ordinal numbers

1.	der, die, das	erste	20.	der, die, das	zwanzigste
2.		zweite	21.		einundzwanzigste
3.		dritte	...		
4.		vierte	99.		neunundneunzigste
5.		fünfte	100.		hundertste
6.		sechste	101.		hunderterste
7.		siebte	...		
8.		achte	1 000.		tausendste
9.		neunte	1 001.		tausenderste
10.		zehnte	...		
11.		elfte			
...					
19.		neunzehnte			

1. – 19.: -**te**   from 20 upwards: -**ste**

All ordinal numbers are declined as adjectives:

Er kommt am *fünfzehnten* Mai.
Das ist mein *dritter* Versuch.

Numerical adverbs

Ich möchte nicht mehr Ski fahren.
Erstens kann ich es nicht gut und *zweitens* ist es teuer.

Weißt du, wer mich gerade angerufen hat?
Dreimal darfst du raten.

Ich brauche diesen Brief in *dreifacher* Kopie.

erstens	einmal	einfach
zweitens	zweimal	zweifach/doppelt
drittens	dreimal	dreifach
viertens	viermal	vierfach
...	...	...

Fractions, measurements, weights, money

what you write	what you say
0,5	null Komma fünf
1/2	ein halb
1/3	ein Drittel
1/4	ein Viertel
1 1/2	cincinhalb (more informal: anderthalb)
2 1/2	zweieinhalb
1 mm	ein Millimeter
1 cm	ein Zentimeter
1 m	ein Meter
1,30 m	ein Meter dreißig
1 km	ein Kilometer
60 km/h	sechzig Stundenkilometer
1 m^2	ein Quadratmeter
1 g	ein Gramm
1 kg	ein Kilo(gramm)
2 Pfd.	zwei Pfund = ein Kilo (1 Pfund = 500 Gramm)
1 l	ein Liter
1 %	ein Prozent
1°	ein Grad (Celsius)
−5°	minus fünf Grad / fünf Grad unter Null
+2°	plus zwei Grad / zwei Grad über Null
3,50 EUR	drei Euro fünfzig
−,30 EUR	dreißig Cent
8,20 sfr	acht Franken zwanzig
−,40 sfr	vierzig Rappen (Switzerland)

████████████ **Expressions of time**

Clock time

what you write	what you say (formal)	what you say (informal)
8.05	acht Uhr fünf	fünf nach acht
8.15	acht Uhr fünfzehn	Viertel nach acht
8.20	acht Uhr zwanzig	zwanzig nach acht
8.30	acht Uhr dreißig	halb neun
8.40	acht Uhr vierzig	zwanzig vor neun
8.45	acht Uhr fünfundvierzig	Viertel vor neun
8.55	acht Uhr fünfundfünfzig	fünf vor neun
21.30	einundzwanzig Uhr dreißig	halb zehn
0.05	null Uhr fünf	fünf nach zwölf

die Sekunde, -n	sekundenlang
die Minute, -n	minutenlang
die Stunde, -n	stundenlang

Dates

what you write	what you say
1998	neunzehnhundertachtundneunzig
1. April	erster April – Heute ist der erste April.
1. 4.	erster Vierter – Heute ist der erste Vierte.
7. Mai 1975	Ich bin am siebten Mai neunzehnhundertfünfundsiebzig geboren.
7. 5. 1975	Ich bin am siebten Fünften neunzehnhundertfünfundsiebzig geboren.
Berlin, den 12. 6. 1980	Berlin, den zwölften Sechsten neunzehnhundertachtzig

Days, months, seasons

Days of the week

der/am Sonntag	sonntags
der/am Montag	montags
der/am Dienstag	dienstags
der/am Mittwoch	mittwochs
der/am Donnerstag	donnerstags
der/am Freitag	freitags
der/am Samstag	samstags
der Wochentag, -e	werktags
das/am Wochenende	–
dcr Tag, -e	tagelang
die Woche, -n	wochenlang

Am Sonntag fahren wir in die Berge. = next Sunday
Sonntags schlafe ich immer länger. = every Sunday

Times of the day

der/am Tag, -e	tagsüber
der/am Morgen	morgens
der/am Abend, -e	abends
der/am Vormittag, -e	vormittags
der/am Nachmittag, -e	nachmittags
die/**in** der Nacht, -e	nachts
der/am Mittag	mittags
die/**um** Mitternacht	–

Months of the year

der/im Januar	der/im Juli
der/im Februar	der/im August
der/im März	der/im September
der/im April	der/im Oktober
der/im Mai	der/im November
der/im Juni	der/im Dezember

Seasons

der/im Frühling	der/im Herbst
der/im Sommer	der/im Winter
das Jahr, -e	jahrelang
das Jahrzehnt, -e	jahrzehntelang
das Jahrhundert, -e	jahrhundertelang

▶ Exercises 1–5

▶ 🔘 Chapter 2, exercise 9

1 Write out the amounts in full.

1. 39,90 EUR *neununddreißig Euro neunzig*
2. 99,30 EUR _____
3. 119,– sfr _____
4. 680,– EUR _____
5. 3,15 EUR _____
6. 4,10 sfr _____
7. 29,– sfr _____
8. 5,20 EUR _____
9. 4,80 sfr _____
10. 39,– EUR _____

2 Write out the times in full (formal and informal).

1. 23.10 Uhr *Es ist dreiundzwanzig Uhr zehn. / Es ist zehn nach elf.*
2. 8.30 Uhr _____
3. 15.45 Uhr _____
4. 21.05 Uhr _____
5. 6.40 Uhr _____
6. 9.15 Uhr _____
7. 11.20 Uhr _____
8. 1.15 Uhr _____
9. 7.55 Uhr _____
10. 22.10 Uhr _____

3 Write out the dates in full.

1. Wann ist Johann Wolfgang von Goethe geboren?   28. 8. 1749
   Am achtundzwanzigsten Achten siebzehnhundertneunundvierzig.
2. Wann ist Johann Sebastian Bach geboren?   21. 3. 1685
3. Wann ist Ludwig van Beethoven geboren?   17. 12. 1770
4. Wann ist Caspar David Friedrich geboren?   5. 9. 1774
5. Wann ist Otto Graf von Bismarck geboren?   1. 4. 1815
6. Wann ist Thomas Mann geboren?   6. 6. 1875
7. Wann ist Franz Marc geboren?   8. 2. 1880
8. Wann ist Bertolt Brecht geboren?   10. 2. 1898
9. Und Sie? Wann sind Sie geboren?
10. Wann sind Ihr Vater und Ihre Mutter geboren?

4 Write out the dates in full.

1. Wien, den 21. 3. 1988
2. Bis wann muss ich das Formular abgeben? – Bis spätestens 31. 12.
3. Wann fliegen Sie nach Sydney? – Am 30. 7.
4. Wann habt ihr geheiratet? – Am 22. 2. 1965.
5. Wann ist dieses Buch erschienen? – 1996.
6. Der Wievielte ist heute? – Der 4.
7. Wann werden Sie zurück sein? – Nicht vor dem 12.
8. Wie lange ist das Geschäft geschlossen? – Vom 1. 8. bis 24. 8.

5 Complete the sentences.

1. Geben Sie mir bitte
_____ (2 kg) Kartoffeln
und _____ (1 Pfd.)
Karotten.

2. Mein Bett ist _____ (2 m)
lang und _____ (1,20 m)
breit.

3. _____ (jeden Montag)
muss ich immer etwas länger im
Büro bleiben.

4. Diese Schuhe sind von sehr
guter Qualität. Sie sind sogar
_____ (2x) genäht.

5. Ich habe gestern_____
(4x) bei dir angerufen, aber du
warst nie zu Hause.

6. Deutsches Bier hat durchschnittlich
_____ (6 %) Alkohol.

7. Letzte Nacht war es sehr kalt.
Es hatte _____ (–10°).

8. Kannst du mir bitte _____
(3 l) Milch mitbringen, wenn du
einkaufen gehst?

9. _____ (jeden Morgen)
trinke ich lieber Kaffee,
_____ (jeden Nach-
mittag) lieber Tee.

10. Ich habe _____
(viele Jahre) auf diese Gelegenheit
gewartet.

11. Das ist schon mein _____
(3.) Versuch, ihn telefonisch zu
erreichen.

12. Ungefähr _____ (1/3)
meiner Studenten spricht schon
sehr gut Deutsch.

2.5 Nouns Pronouns

Pronouns are short words which we use in place of parts of clauses, whole clauses and texts. They help us repeat briefly what has already been said.

▲ Ich habe mir eine neue Uhr gekauft.
● Zeig mal. **Die** ist aber sehr schön.　　*instead of:* **Die neue Uhr** ist sehr schön.

▲ Glaubst du, dass wir den nächsten
　Zug noch erreichen können?
● Ich weiß **es** nicht.　　　　　　　　*instead of:* Ich weiß nicht, **ob wir den nächsten Zug noch erreichen können.**

▲ *someone talks about their holidays*
● Das ist ja wirklich interessant!　　　*to avoid repetition of everything that has been said*

Summary

Personal pronouns　　▶ see page 138

ich, du, er, sie, es …　　　　　Wo ist der Hausschlüssel?
　　　　　　　　　　　　　　Hast *du* ihn?

+ *preposition*　　　　　　　　Ich komme gleich.
　　　　　　　　　　　　　　Warte bitte *auf mich*.

**Pronouns declined like
the definite article**　　▶ see pages 139–140

der, die, das, die　　　　　　Das Kleid dort, *das* finde ich schön.

dieser, diese, dieses, diese　　Welcher Hut gefällt dir? –
　　　　　　　　　　　　　　Dieser da.

jeder, jede, jedes, alle　　　　Das kann doch *jeder*!
　　　　　　　　　　　　　　Das wissen doch schon *alle*.

mancher, manche, manches, manche	Hier muss ich dir noch *manches* erklären. *mainly used in the plural:* *Manche* machen das noch falsch.
viele (*plural*)	Es waren ziemlich *viele* da.
wenige (*plural*)	Diesmal sind nur *wenige* gekommen.
beide (*plural*)	Ja, es waren *beide* da.
einige (*plural*)	*Einige* haben abgesagt.

Pronouns with their own declension ▶ see pages 141–142

einer, eine, eins, welche	Hast du ein Wörterbuch? – Ja, zu Hause habe ich *eins*.
keiner, keine, keins, keine	Nein, ich habe auch *keins*.
irgendeiner, irgendeine, irgendeins, irgendwelche	*Irgendeiner* wird sich schon melden.
meiner, meine, meins, meine*	Dieses Fahrrad da? Nein, das ist nicht *meins*.
welcher, welche, welches, –	Soll ich Milch kaufen? – Nein, wir haben noch *welche*.
man	*Man* soll sich nicht zu früh freuen.
jemand, niemand	Ist *jemand* da?
wer	Siehst du *wen*? – Ja, da ist *wer*.
viel, wenig	Ich habe heute nur *wenig* gegessen.
alles (*singular*)	Ich habe leider fast *alles* vergessen.
etwas, nichts	Siehst du *etwas*? – Nein, *nichts*.

* deiner, seiner, ihrer/Ihrer, uns(e)rer, eurer also belong to this group.

Interrogative pronouns ▶ see pages 143–144

warum	wohin	was	was für ein
wann	mit wem	wie	wie viel
woher	womit	wer	welcher
wo			

Reflexive pronouns   ▶see page 145

mich	uns
dich	euch
sich	

Relative pronouns   ▶see pages 145–147

der, die, das, was, wo, wofür, für den …

German *es*   ▶see pages 148–149

Personal pronouns

Abends las	*die Großmutter*	*den Kindern*	immer Geschichten vor.
Abends las	*sie*	*ihnen*	immer Geschichten vor.

	Singular					**Plural**		
Nominative	ich	du	er	sie	es	wir	ihr	sie/Sie
Accusative	mich	dich	ihn	sie	es	uns	euch	sie/Sie
Dative	mir	dir	ihm	ihr	ihm	uns	euch	ihnen/Ihnen
Genitive	*not often used*							

▶Exercises 1–4

Note: The pronouns *du, ihr, euch, Sie* and *Ihnen*
   • *du* (sing.), *ihr* and *euch* (pl.) are used to address children, friends and relatives.
   • *Sie* and *Ihnen* (sing./pl.) are used when addressing adult strangers. These pronouns are always spelled with initial capitals, also their associated forms (*Sie, Ihnen, Ihr, Ihre*).

Pronouns declined like the definite article

Remember Memobox 1

definite article

	Masc.	Fem.	Neut.	Plural
Nom.	-r	-e	-s	-e
Acc.	-n	-e	-s	-e
Dat.	-m	-r	-m	-n
Gen.	-s	-r	-s	-r

der, die, das, die

▲ Das Bild gefällt mir gut.
● Welches meinst du?
mainly at the beginning of the sentence, stressed:
▲ *Das* dort rechts in der Ecke.

▲ Siehst du den Typ da?
● *Den* kenne ich nicht. Wer ist *das*?

▲ Warum ist dein Mann nicht mitgekommen?
● Er ist doch krank.
▲ Ach so, *das* habe ich nicht gewusst.

dieser, diese, dieses, diese

▲ Dieses Buch hier finde ich langweilig. Hast du kein interessanteres für mich?
● Doch, schau mal, *dieses* hier könnte dir gefallen.

jeder, jede, jedes, alle

▲ Ich arbeite zurzeit jedes Wochenende.
● Das hast du schon *jedem* erzählt.

mancher, manche, manches, manche

▲ Haben Sie alle Wörter verstanden?
● Nein, *manche* nicht.

139

viele, wenige plural	▲ Heute waren nicht alle Studenten da, aber relativ *viele* im Vergleich zu anderen Tagen.
beide plural	▲ Kommst du mit beiden Kindern oder lässt du deinen Sohn allein zu Hause? ● Nein, ich bringe *beide* mit.
einige plural	▲ Kommen in Ihrer Klasse alle pünktlich zum Unterricht? ● Nein, *einige* kommen immer zu spät.

Compare:

Wie findest du **die** Vase?	**Sie** ist sehr schön.	**Die** finde ich sehr schön.
article *speaker shows only one vase*	*personal pronoun* *unstressed*	*demonstrative pronoun* *stressed*
Wie findest du **diese** weiße Vase?	**Sie** ist sehr schön.	**Diese** finde ich sehr schön, aber die andere nicht.
demonstrative article word *there is a selection* *of vases*	*personal pronoun* *unstressed*	*demonstrative pronoun* *stressed (= compared to* *other vases)*

▶ Exercises 5–6

Pronouns with their own declension

Remember:
Memobox 1

definite article words

	Masc.	Fem.	Neut.	Plural
Nom.	-r		-s	-e
		-e		
Acc.	-n			
Dat.	-m		-m	-n
		-r		
Gen.	-s		-s	-r

The final letter of the pronoun is identical with the final letter of the definite article.

Example:

der	die	das	die
einer	eine	eins	welche

Pronouns	**Examples**

einer, eine, eins, welche

△ Das ist aber ein schönes Taschenmesser!
● Ja, ich hätte auch gern so *eins*.

△ Hast du Bücher von Goethe?
● Ja, natürlich habe ich *welche*. Soll ich dir *eins* leihen?

keiner, keine, keins, keine

△ Was, du hast wirklich kein Taschenmesser?
● Nein, ich darf mir *keins* kaufen.
△ Gut, dann schenke ich dir *eins*.

irgendeiner, irgendeine, irgendeins, irgendwelche

△ Hast du irgendein deutsches Buch, das du mir leihen könntest?
● Ja, klar. Was liest du gern?
△ Gib mir *irgendeins*, das leicht zu verstehen ist.

meiner, meine, meins, meine

△ Gib her, das ist mein Ball.
● Nein, das ist nicht *deiner*, das ist *meiner*.

welcher, welche, welches, –

△ Soll ich Bier vom Einkaufen mitbringen?
● Nein, wir haben noch *welches*.
(= *no definite quantity*)

man

Nom.	man	*Man* macht im Urlaub nur, was *man* gerne tut.
Acc.	einen	Diese laute Musik kann *einen* ziemlich stören. (*never in initial position*)
Dat.	einem	Im Urlaub macht man nur, was *einem* gefällt. (*never in initial position*)

jemand, niemand

Nom.	jemand, niemand	Leider hat mir *niemand* geholfen.
Acc.	jemand(en), niemand(en)	Ja, ich sehe *jemand* dort hinten.
Dat.	jemand(em), niemand(em)	Ich leihe *niemand* mein neues Auto.

The forms ending in *-en/-em* are not often used.

wer

Nom.	wer	Achtung, da kommt *wer*.
Acc.	wen	Siehst du *wen*?
Dat.	wem	Gib das (irgend)*wem*. Ich brauche es nicht mehr.

viel, wenig

Nom.	viel/vieles	*Viel/Vieles* war mir neu.
	wenig	Ihm hat nur *wenig* in diesem Geschäft gefallen.
Acc.	viel/vieles	Ich habe *viel/vieles* nicht verstanden.
	wenig	Ich habe nur *wenig* verstanden.
Dat.	vielem	Er war mit *vielem* nicht einverstanden.
	wenigem	Er war nur mit *wenigem* einverstanden.

alles

Nom.	alles	*Alles*, was er sagte, war interessant.
Acc.	alles	Ich habe *alles* gesehen.
Dat.	allem	Ich bin mit *allem* einverstanden.

etwas, nichts

Nom.	▲	Haben Sie heute schon *etwas* gegessen?
	●	Nein, noch *nichts*.

▶ Exercises 7–14

Interrogative pronouns

Question word	asking about ...
▲ **Warum** kommst du so spät? ● Weil ich verschlafen habe.	reason
▲ **Wann** bist du aufgewacht? ● Um 11 Uhr.	time
▲ **Woher** kommen Sie? ● Aus Argentinien. ▲ **Wo** sind Sie geboren? ● In Buenos Aires. ▲ **Wohin** fahren Sie im Urlaub? ● Nach Brasilien.	place
▲ **Wie** geht es Ihnen? ● Danke, gut.	manner
▲ **Wer** sitzt da in deinem Auto? ● Das ist mein Bruder.	person (nominative)
▲ **Was** hat dir am besten geschmeckt? ● Die Suppe.	thing (nominative)
▲ **Wen** habt ihr gestern Abend getroffen? ● Meinen Kollegen.	person (accusative)
▲ **Was** habt ihr am Abend gemacht? ● Wir sind in die Disco gegangen.	thing (accusative)
▲ **Wem** hast du dein Fahrrad geliehen? ● Meiner Freundin.	person (dative)

Clarifying question

▲ Guten Tag, ich hätte gern eine
Flasche Wein.

● **Was für einen** möchten Sie?   general question

▲ Einen französischen Rotwein.

● Da hätten wir zum Beispiel einen
sehr guten Bordeaux oder Beaujolais.
Welchen möchten Sie gern   selection from a
probieren?   given number

▲ **Wie viel** Geld hast du dabei?   singular

● Ungefähr 100 EUR.

▲ **Wie viele** Flaschen Wein hast du   plural
gekauft?

● Drei.

Question word with preposition

▲ **Über wen** ärgerst du dich denn jetzt   asking about a
schon wieder?   person

● Über meinen Freund.
Er hat nie Zeit für mich.

▲ **Worüber** ärgerst du dich denn so?   indefinite question

● Über meine schlechte Note in der
Prüfung.

▶ *Verbs with prepositions* see pages 79–80

Direct question	Indirect question
• *with interrogative pronoun (w-question)* **Was** machen Sie heute Abend?	Darf ich Sie fragen, **was** Sie heute Abend machen?
• *without interrogative pronoun (yes/no-question)* Gehst du heute Abend mit ins Kino?	Sie möchte wissen, **ob** ich mit ins Kino gehe.

▶ Exercises 15–19

Reflexive pronouns

Ich habe **mich** im Urlaub gut erholt. *sich erholen*
(pronoun = accusative)
Ich wasche **mir** die Hände. *sich waschen*
(pronoun = dative)

Nom. *(rare)*		Accusative		Dative	
Sing.	Plur.	Sing.	Plur.	Sing.	Plur.
ich	wir	mich	uns	mir	uns
du	ihr	dich	euch	dir	euch
er, sie, es	sie, Sie	sich	sich	sich	sich

▶ *Reflexive verbs* see pages 50–52

Relative pronouns

Use

A relative clause gives further information about a person or thing. It can refer to a noun, a pronoun or a whole sentence.

Das ist mein Freund. Er spielt sehr gut Klavier.	*main clause + main clause*
Das ist <u>mein Freund</u>, **der** sehr gut Klavier spielt. word referred to relative pronoun	*main clause + subordinate clause*
Das ist mein Freund. Ich habe ihn im Urlaub kennengelernt.	*main clause + main clause*
Das ist <u>mein Freund</u>, **den** ich im Urlaub kennengelernt habe. word referred to relative pronoun	*main clause + subordinate clause*

The noun which the relative clause refers to determines the gender (= masculine, feminine, neuter) of the relative pronoun and whether it is singular or plural.

The case of the relative pronoun depends on what part of the clause the relative pronoun is in the subordinate clause. The question is always: Is it the subject (= nominative)? Is it the object (= accusative or dative)? Or is it a genitive complement (genitive)?

Formation

	Masculine	Feminine	Neuter	Plural
Nominative	der	die	das	die
Accusative	den	die	das	die
Dative	dem	der	dem	denen
Genitive	dessen	deren	dessen	deren

Except for the genitive, and the dative plural, the forms are identical with the definite article.

The relative clause refers to a noun

relative pronoun = subject (nom.)
Das ist der Freund, **der** sehr gut Klavier spielt.

relative pronoun = object (acc.)
Das ist der Freund, **den** ich im Urlaub kennengelernt habe.

relative pronoun = object (dat.)
Das ist der Freund, **dem** ich schon viel von dir erzählt habe.

relative pronoun = genitive complement
Das ist der Freund, **dessen** Foto dir so gut gefallen hat.

verb + preposition
Der Pianist, **von dem** ich dir erzählt habe, heißt Antonio Vargas.

place
Das ist das Haus, **in dem/wo** Mozart geboren ist.

names of towns and countries
In Deutschland, **wo** ich geboren bin, habe ich nur zwei Jahre gewohnt.

adjectives/superlatives used as nouns
Das ist das Beste, **was** du machen konntest.

The relative clause refers to a pronoun

after *das, etwas, nichts, alles, vieles …*
Er sagte mir alles, **was** er wusste.

verb + preposition
Es gibt vieles, **wofür** ich mich interessiere.

after *jemand, niemand, einer, keiner …*
Vor der Tür steht jemand, **der** dich sprechen will.

verb + preposition
Es gibt hier niemand, **auf den** ich mich wirklich verlassen kann.

The relative clause refers to a whole sentence

Endlich hat er mein Auto repariert, **was** ich mir seit Langem
gewünscht habe.

verb + preposition
Endlich hat er mein Auto repariert, **worauf** ich schon lange
gewartet habe.

The relative clause is usually inserted immediately after the
word it refers to. If the relative clause is too long, however, or
would only be followed by one or two more words it is better
to finish the main clause first.

Gestern habe ich endlich Gabis neuen Freund, von dem sie
mir schon so viel erzählt hat, getroffen.
better:
Gestern habe ich endlich Gabis neuen Freund getroffen, von
dem sie mir schon so viel erzählt hat.

▶ Exercises 20–27

German *es*

The word *es* can have three functions:

pronoun (*es* - obligatory)
formal complement with certain verbs (*es* - obligatory)
'dummy subject' in initial position (*es* - optional)

Pronoun (*es* - obligatory)

▲ Wo ist mein Wörterbuch?
● **Es** liegt doch dort auf dem Tisch.*   *nominative*

or:
● Ich sehe **es** auch nicht.*   *accusative (never in initial position!)*

▲ Wer ist der Mann?   *asking about something unknown*

● Ich weiß nicht, wer das ist.
or:
● Ich weiß **es** nicht.*   *replaces a subordinate clause*

▲ Mir gefällt **es** nicht, wenn du immer zu spät zum Essen kommst.   *provisional subject (to be followed by a subordinate clause)*

* In these sentences *es* can be replaced by *das*.
  Das can only take initial position:
  Das liegt doch dort auf dem Tisch.
  Das sehe ich auch nicht.
  Das weiß ich nicht.

Formal complement with certain verbs (*es* - obligatory)

Es regnet.	*weather*
Es klingelt.	*noises*
Es ist spät.	*times of the day and seasons*
Es wird Abend.	
Es wird Winter.	
Es geht mir gut.	*personal state of health or*
Es ist mir kalt.	*feelings*
Es gefällt mir.	
Es schmeckt mir.	
Es tut weh.	
Es gibt ...	*impersonal expressions*
Es ist notwendig ...	
Es ist verboten ...	
Es ist möglich ...	
Es tut mir leid ...	
Ich habe es eilig.**	*idiomatic expressions*
Du machst es dir leicht.**	
Ich finde es hier schön.**	
Es handelt sich um ...	

** In these sentences *es* can never take initial position.

'Dummy subject' in initial position (*es* - optional)

This *es* has no real meaning and is omitted if another part of the clause takes initial position.

Es warten schon die Gäste.
stylistically better: Die Gäste warten schon.

Es wird hier eine neue Straße gebaut.
stylistically better: Hier wird eine neue Straße gebaut.

▶ Exercises 28–29

▶ 🔘 Chapter 2, exercises 10–16

1 Personal pronouns in the nominative: Supply the correct forms.

1. Wo ist Papa? – _Er_ ist im Wohnzimmer.
2. Wo sind die Kinder? – _____ spielen in ihrem Zimmer.
3. Was macht Oma? – _____ kocht.
4. Dieses Kleid ist mir zu teuer. _____ kostet 149,– EUR.
5. Kommst du morgen auch zur Party? – Nein, _____ kann leider nicht.
6. Und was macht ihr am Wochenende? – _____ wissen es noch nicht.
7. Wann kommt sie denn endlich? – _____ weißt doch, _____ kommt immer zu spät.
8. Kinder, _____ sollt doch nicht so laut sein. Opa will schlafen.

3 Personal pronouns in the dative: Supply the correct forms.

1. Kannst du _____ bitte ein Glas aus der Küche mitbringen?
2. Wir verstehen schon. Du musst _____ das nicht erklären.
3. Wie geht es _____ ? Müsst ihr immer noch so viel arbeiten?
4. Du hast _____ wirklich viel geholfen. Wie kann ich _____ dafür nur danken?
5. Frau Gärtner, ich kann _____ heute leider nicht mehr helfen. Ich muss jetzt dringend weg.
6. Er ist immer so lieb. Da helfe ich _____ auch immer.
7. Sie hat heute Geburtstag. Komm, wir gratulieren _____ .
8. Wie geht es deinen Eltern? – Danke. Es geht _____ gut.

2 Personal pronouns in the accusative: Make questions and answers.

-e Tasche
Schuhe (Pl.)
-s Geld
-r Mantel
-r Kalender
-s Buch
Schlüssel (Pl.)
~~-e Brille~~
-r Pass
Hunde (Pl.)
Antonia

Wo ist denn meine Brille? Ich finde sie nicht.
…

4 Personal pronouns in the accusative: Supply the correct forms.

1. ▲ Ist Ingrid schon zu Hause?
   ● Ich weiß nicht, aber ich suche _____ mal.
2. ▲ Haben Sie schon mit Herrn Müller gesprochen?
   ● Nein, aber ich treffe _____ heute Abend.
3. ▲ Wo sind denn meine Hausschlüssel?
   ● Ich weiß nicht, hier sind _____ nicht.
4. ▲ Wie geht es deiner Mutter? Ist sie immer noch krank?
   ● Ich weiß nicht, ich rufe _____ heute noch an.
5. ▲ Wo ist mein Wörterbuch. Hast du _____ gesehen?
   ● Nein.
6. ▲ Geben Sie mir doch mal bitte den Terminkalender.
   ● Wo ist er? Ich finde _____ nicht.

5 **In a department store**
Write short dialogues.

Irene und Christina brauchen noch ein paar
Dinge für ihren Urlaub.

> -r Sonnenhut   -e Sonnenbrille
>
> -s T-Shirt   Sandalen (Pl.)
>
> Badehandtücher (Pl.)
>
> -r Minirock   -e Tasche
>
> ~~-r Badeanzug~~

▲ *Ich brauche noch einen Badeanzug.*
   Wie findest du diesen hier?
● *Den finde ich*
   nicht so schön.
▲ *Und den hier?*
● *Der ist besser.*
...

6 **In a furniture store**
Write short dialogues.

Herr und Frau Bertelsheim suchen
Möbel für ihre neue Wohnung. Herr
Bertelsheim hat immer etwas zu
kritisieren.

> klein   -s Bett   -s Sofa
>   ~~groß~~
>   -e Kommode
> hässlich
>   -e Wanduhr
>   modern
> teuer   ~~-r Schrank~~
>   breit
>   -r Teppich
> altmodisch   Lampen (Pl.)
>
> dunkel   -r Tisch

▲ *Wie findest du diesen Schrank?*
● *Den da? Der ist viel zu groß.*
...

7 **In a village**
Write short dialogues.

> -s Gasthaus   -r Bahnhof
>
> -s Kino   -e Bäckerei
>
> -e Bank   -r Kinderspielplatz
>
>   ~~-s Hotel~~   -e Kirche
> -r Strand
>   -r Arzt

▲ *Entschuldigen Sie bitte, gibt es hier*
   in diesem Dorf ein Hotel?
● *Ja, hier gibt es eins.*
oder:
● *Nein, hier gibt es keins.*
...

8 Please complete the answers.

1. Ist das Peters Kassette (f.)? – Ja, das
   ist *seine* .
2. Ist das Elisabeths Mantel (m.)? –
   Nein, das ist m_____ .
3. Ist das rote hier euer Auto (n.)? – Ja,
   das ist _____ .
4. Ist das Ihre CD (f.)? – Nein, das ist
   s_____ .
5. Ist das deine Brieftasche (f.)? – Ja,
   das ist _____ .
6. Ist das Theos Fahrrad (n.)? – Nein,
   das ist m_____ .
7. Ist das dein Bleistift (m.)? – Ja, das ist
   _____ .
8. Ist das Katharinas und Angelas
   Spielzeug (n.)? – Ja, das ist _____ .

9 *Einer, eine, eins, welche* or *keiner, keine, keins, keine.* Which one is correct?

1. ▲ Ich brauche schnell einen Stift.
   ● Dort drüben liegt doch _einer_ .
2. ▲ Möchtest du ein Eis?
   ● Nein danke, jetzt möchte ich _____ , ich habe vorhin erst _____ gegessen.
3. ▲ Was suchen Sie denn?
   ● Ein Glas. Ich hatte schon _____ , aber ich weiß nicht mehr, wo es ist.
   ▲ Kein Problem, dort hinten stehen noch _____ .
4. ▲ Das ist aber ein toller Pullover. So _____ hätte ich auch gern.
   ● Dann kauf dir doch auch _____ , es gibt noch _____ .
5. ▲ Wo sind denn die Zitronen?
   ● Ich habe _____ gekauft.
   ▲ Aber warum denn nicht?
   ● Es gab _____ mehr.

10 Personal pronouns in the nominative (N), accusative (A) or dative (D): Supply the correct forms. **Remember:** The formal pronouns of address are spelled with initial capitals.

> *Sehr geehrte Frau Bremer, sehr geehrter Herr Bremer,*
>
> *wie geht es __Ihnen__ (D)? Wohin sind _____ (N) nach Ihrem Besuch bei _____ (D) noch gefahren? Hatten _____ (N) noch eine schöne Zeit in Portugal?*
>
> *Ich habe mich sehr gefreut, _____ (A) nach so langer Zeit wiederzusehen und ein paar Tage mit _____ (D) in unserem Haus am Meer zu verbringen. Es war eine sehr schöne Zeit, und ich denke noch oft daran.*
>
> *_____ (D) geht es gut. _____ (N) bin nach dem Urlaub wieder nach Lissabon zurückgekehrt und habe leider zurzeit viel Arbeit. Aber ich hoffe sehr, dass ich bald einmal Zeit habe, _____ (A) in Düsseldorf zu besuchen.*
>
> *Herzliche Grüße* Mariana

11 Write the letter in exercise 5 to two friends using the informal *du.*

> *Liebe Monika, lieber Heinrich,*
> *wie geht es __Euch__ (D)? Wohin seid ...*

12 Man, irgendeiner, jemand, niemand, jeder, wer. Which one is correct?

1. Bitte stell das Telefon leise.
   Ich möchte jetzt schlafen und
   mit _____ sprechen.
2. Das ist nicht so schlimm. Das kann
   doch _____ mal passieren!
3. Könnte mir bitte _____
   von euch kurz helfen? Ich muss
   diese Bücher hier in die Bibliothek
   bringen.
4. _____ nichts hat, dem
   kann _____ auch nichts
   nehmen. (Sprichwort)
5. _____ braucht nicht
   immer alles so zu machen wie
   die anderen.
6. Ach, da sind Sie ja, gerade hat
   _____ für Sie angerufen.
   Ich habe den Namen hier
   aufgeschrieben.
7. Tut uns leid, aber heute hat
   _____ von uns Zeit, zur
   Firma Hellwig zu fahren. – Das gibt
   es doch nicht, _____ von
   Ihnen wird doch wohl eine halbe
   Stunde Zeit haben!
8. Die Reifen am Auto wechseln?
   Das ist doch kein Problem, das kann
   doch _____!
   Und _____ das nicht
   kann, muss eben dafür bezahlen.
9. Weiß _____ von Ihnen,
   wie spät es ist?
10. Dieser ewige Regen macht
    _____ ganz schön
    depressiv.

13 Supply the endings.

1. ▲ Wohnst du schon lange hier in
   dies___ Stadt?
   ● Ja, seit mein___ Kindheit. Ich
   kenne hier jed___ Straße, jed___
   Haus und natürlich all___ Leute,
   die in unser___ Haus leben.
   Einig___ von ihnen habe ich
   allerdings lange nicht mehr
   gesehen.

2. ▲ Welcher Pullover gefällt Ihnen
   besser? Dies___ rote oder d___
   blaue dort?
   ● Ich finde beid___ nicht schön.
   Schauen Sie doch mal, wie
   gefällt Ihnen dies___ hier?

3. ▲ Magst du die Musik von Phil
   Collins?
   ● Manch___ Stücke finde ich ganz
   gut, aber nicht all___ .
   ▲ Welche gefallen dir denn nicht?
   ● Dies___ langsamen finde ich
   schrecklich langweilig.

4. ▲ Frau Rautmann ist doch wirklich
   super! Sie hilft all___ Studenten
   und ist immer so freundlich.
   ● Ja, das stimmt wirklich. Und
   dabei können einig___ von
   ihnen ganz schön nerven!
   Aber sie behält immer die Ruhe.

5. ▲ Warum ziehst du denn immer
   dies___ hässliche Jacke an?
   ● Ich habe sonst kein___ .
   ▲ Dann kauf dir doch mal ein___
   neue. Gefällt sie denn dein___
   Freundin?
   ● Ja, sie findet sie auch toll.

14 *Etwas, nichts, viel, wenig, alles* or *viele, wenige*. Which one is correct?

1. Ich kann leider keine großen Reisen machen. Ich verdiene nur _____ .
2. Du denkst immer, dass du _____ besser weißt.
3. Kannst du mir etwas über Goethe erzählen? Du weißt doch _____ über ihn.
4. Heute haben _____ Leute ein Auto.
5. Sie möchte wirklich Deutsch lernen, aber leider hat sie so _____ Zeit.
6. Ich weiß nicht, was er macht. Ich habe lange _____ von ihm gehört.
7. Was, mit nur so _____ Gepäck willst du vier Wochen in Urlaub fahren? Das reicht nie!
8. Ich habe Ihnen schon _____ gesagt, was ich weiß.
9. Ich habe in meiner Schulzeit schon Deutsch gelernt. Aber leider habe ich _____ vergessen und muss es jetzt noch einmal lernen.
10. Haben Sie _____ verstanden? – Nein, nicht sehr _____ .

15 Please match up the following sentences.

1	2	3	4	5	6	7

1. Wann kommst du zurück?
2. Wer hat das gesagt?
3. Wie spät ist es?
4. Woher kommen Sie?
5. Wie geht es Ihnen?
6. Was machen Sie am Samstag?

a   Halbzehn.
b   Ich fahre in die Berge.
c   Ungefähr in einer Stunde.
d   Mein Vater.
e   Aus Finnland.
f   Danke, gut.

16 Supply the appropriate interrogative pronoun.

1. _____ sind Sie heute früh aufgestanden? – Um sechs Uhr.
2. _____ hast du Frau Berger nicht gegrüßt? – Weil ich sie nicht gesehen habe.
3. _____ hast du morgen zum Abendessen eingeladen? – Julia.
4. _____ haben Sie Deutsch gelernt? – In der Schule.
5. _____ hat Ihnen der Film gefallen? – Sehr gut.
6. _____ Stadt hat Ihnen besser gefallen, Hamburg oder Berlin? – Berlin.
7. _____ hast du dein Auto geliehen? – Meinem Freund.
8. _____ hat denn gerade angerufen? – Mein Bruder.

17 *Welcher, welche, welches* or *was für ein, was für welche.* Which one is correct?

1. ▲ _____ Fahrrad haben Sie sich denn gekauft?
   ● Ein Mountainbike.

2. ▲ _____ Eis magst du lieber? Deutsches oder italienisches?
   ● Italienisches.

3. ▲ _____ deutsche Oper gefällt dir am besten?
   ● Die Zauberflöte.

4. ▲ _____ Computer soll ich mir denn kaufen?
   ● Da kann ich dir leider nicht helfen. Ich habe nicht viel Ahnung von Computern.

18 Make questions.

1. Ich fahre morgen nach XY.
   Wohin fahren Sie morgen?

2. Die Gäste kommen um XY Uhr.

3. Meine Freundin wohnt in XY.

4. Ich möchte lieber XY.

5. Ich denke immer noch oft an XY.

6. XY kommt uns am Wochenende besuchen.

7. Gestern habe ich XY getroffen.

8. Ich heiße XY.

9. Wir haben XY ein lustiges Buch geschenkt.

10. Mein Mann interessiert sich gar nicht für XY.

19 What could the questions be?

1. _Woher kommen Sie?_ – Aus Russland.
2. _____ – In Moskau.
3. _____ – Vor zwei Stunden.
4. _____ – Meinem Kind.
5. _____ – Auf den Bus.
6. _____ – Das ist die Brieftasche meines Vaters.
7. _____ – Der Polizist.
8. _____ – Im Hotel „Gloria".

20 Which sentences go together? Please match.

1	
2	
3	
4	
5	
6	

1. Ich mag gern Leute,
2. Sie interessiert sich für vieles,
3. Das ist meine Kollegin,
4. Wie heißt der Schriftsteller,
5. Sind das deine Freunde,
6. Ich fahre im Januar nach Andalusien,

a der den „Zauberberg" geschrieben hat?
b mit denen du immer Ski fahren gehst?
c die lustig sind.
d wo auch im Winter meistens die Sonne scheint.
e wofür ich mich auch interessiere.
f die mir sehr geholfen hat.

21 Make sentences.

Elena sucht einen Mann, …

1. groß – ist – schlank – der – und
   … der groß und schlank ist.
2. tanzen – dem – sie – oft – gehen – mit – kann
3. sie – den – kann – bewundern
4. Charakter – gefällt – dessen – ihr
5. sie – Spaß – mit – machen – dem – kann – viel
6. gern – macht – der – Sport

22 Supply the correct relative pronoun.

1. Wer ist der Mann,
   _____ du gestern getroffen hast?
   _____ dort hinten steht?
   _____ du so lange Briefe schreibst?
2. Wer ist die Frau,
   _____ du gestern getroffen hast?
   _____ dort hinten steht?
   _____ du so lange Briefe schreibst?
3. Was sind das für Leute,
   _____ du gestern getroffen hast?
   _____ dort hinten stehen?
   _____ du so lange Briefe schreibst?

23 Give definitions.

1. Tennisschuhe (Schuhe, zum Tennisspielen anziehen)
   Das sind Schuhe, die man zum Tennisspielen anzieht.
2. Meerestier (Tier, im Meer leben)
3. Wochenzeitung (Zeitung, einmal pro Woche erscheinen)
4. Sprachschule (Schule, Sprachen lernen)
5. Spielcasino (Haus, Leute spielen Roulette)
6. Kinderbett (…)
7. Student
8. Gästezimmer

24 Verbs with prepositions in a relative clause: *auf das* or *worauf*?

> The relative pronoun refers to a noun or a person (or the pronouns *jemand, niemand, kleiner*): *von dem, auf den, für die …*
>
> *Das Paket, auf das ich schon lange gewartet habe, ist heute endlich angekommen.*
> Es gibt hier *niemand, auf den* ich mich wirklich verlassen kann.
>
> The relative pronoun refers to a whole sentence or the pronouns *vieles, alles, nichts, etwas, einiges …*: *worauf, wofür, wovon, womit …*
>
> *Endlich hat sie uns besucht, worauf* wir schon lange gewartet haben.
> Ich muss immer *alles* machen, *worum* sie sich nicht kümmert.

Complete the sentences. In some cases both forms are possible.

1. Die Frau, _____ ich mich im Urlaub so verliebt habe, hat mich gestern angerufen. (sich verlieben in + Akk.)
2. Das ist etwas, _____ ich mich auch sehr interessiere. (sich interessieren für + Akk.)
3. Die Arbeiter haben eine Lohnerhöhung bekommen, _____ sie lange gekämpft haben. (kämpfen für + Akk.)
4. Leider hat mich niemand im Krankenhaus besucht, _____ ich mich sehr geärgert habe. (sich ärgern über + Akk.)
5. Letzte Woche ist meine kranke Nachbarin gestorben, _____ ich mich in den letzten Monaten viel gekümmert habe. (sich kümmern um + Akk.)
6. Zum Glück hat er die Hausschlüssel mitgenommen, _____ ich nicht gedacht habe. (denken an + Akk.)
7. Die neue Lektion, _____ wir heute im Unterricht begonnen haben, ist sehr interessant. (beginnen mit + Dat.)
8. Gibt es denn nichts, _____ du dich freust? (sich freuen über + Akk.)

25 Genitive: Supply the relative pronoun.

1. Eine Frau/Ein Kind/Ein Mann, …
   … _____ Namen ich leider vergessen habe, hat gestern angerufen.
2. Ein Freund/Eine Freundin, …
   … _____ Fahrrad kaputt war, wollte sich meins leihen.
3. Eine Blume/ein Baum/ein Busch, …
   _____ Blätter plötzlich braun werden, ist krank.

26 Supply the correct relative pronoun.

1. Ich möchte nur in Wohnungen wohnen,
   _____ einen großen Balkon haben.
   _____ Fußböden aus Holz sind.
   _____ ich Trompete spielen darf.
   _____ im Stadtzentrum liegen.

2. Ich mache einiges,
   _____ mein Chef besser nicht wissen sollte.
   _____ sich meine Eltern ärgern.
   _____ ich mich früher nie interessiert hätte.
   _____ schlecht für meine Gesundheit ist.

3. Rom ist eine Stadt,
   _____ mir sehr gefällt.
   _____ es viele alte Kirchen gibt.
   _____ ich gern mal wieder fahren würde.
   _____ man sehr gut leben kann.

4. Meine Tochter hat ihr Examen bestanden,
   _____ ich nie erwartet hätte.
   _____ ich mich sehr gefreut habe.
   _____ sie viel gelernt hat.
   _____ sie sehr glücklich gemacht hat.

5. Johannes ist jemand,
   _____ immer zu viel Geld ausgibt.
   _____ ich mich oft ärgere.
   _____ man nicht vertrauen kann.
   _____ mit den Frauen spielt.

27 Supply the correct relative pronoun.

1. Ich möchte in einer Stadt wohnen, _____ es viele gute Cafes gibt.
2. Das ist das Dümmste, _____ ich je gehört habe.
3. Kinder, _____ Eltern berufstätig sind, werden meist früher selbstständig.
4. Das ist genau das, _____ ich auch sagen wollte.
5. Ich mag keine Leute, _____ nicht zuhören können.
6. Hier ist ein Foto von Torremolinos, _____ wir immer Urlaub machen.
7. Das ist alles, _____ ich Ihnen zu diesem Thema sagen kann.
8. Wie heißt der Autor, _____ neues Buch du so gut fandest?
9. Gestern hat mich mein Chef im Krankenhaus besucht, _____ ich nie erwartet hätte.
10. Hast du Freunde, _____ du dich wirklich verlassen kannst?
11. Paris, _____ ich komme, ist für mich die schönste Stadt der Welt.
12. Ich kann nicht mit Frauen zusammen sein, _____ Parfüm mir nicht gefällt.

28 Fill in a missing *es* where appropriate.

1. _Es_ ist mir klar, dass ich noch viel lernen muss.
2. Mir ist ___ klar, dass ich noch viel lernen muss.
3. In diesem Restaurant wird ___ sehr gut gekocht.
4. Komm, wir gehen nach Hause. ___ wird bald dunkel.
5. Wohin hast du mein Buch getan? – Schau doch, dort auf dem Stuhl liegt ___ .
6. Heute Abend wird ___ im Fernsehen ein interessanter Film gezeigt.
7. Wir brauchen noch Stühle. ___ kommen sicher viele Leute.
8. ___ ist wichtig, dass wir uns gesund ernähren.
9. Morgen regnet ___ sicher.
10. Hat er das Paket schon zur Post gebracht? – Ich weiß ___ nicht.
11. Hast du gestern Abend das Fußballspiel gesehen? – Nein, ich konnte ___ leider nicht sehen, weil unser Fernseher kaputt ist.
12. ___ tut mir leid, dass ich Sie gestört habe.

29 Make sentences with or without *es.*

1. notwendig – ist / früh – wir – aufstehen – dass – morgen
   Es ist notwendig, dass wir morgen früh aufstehen.
2. mir – sagen – Sie / passiert – ist – wie
3. gehört – du – hast / geklingelt – hat – ob?
4. spät – ist – schon
5. dem Kranken – gut – wieder geht – zum Glück
6. er – eilig – immer – hat – leider
7. Rauchen – verboten – ist – hier
8. mir – nicht – gefällt / so viel – wenn – fernsehen – du

3.1

Particles
Prepositions

Prepositions show relationships between elements in sentences.

They can be used

before a noun	Ich fahre *nach Deutschland*.
before a pronoun	Ich komme später *zu dir*.
before an adverb	Gehen Sie bitte *nach rechts*.

Some prepositions can be used before or after a noun/pronoun (*entlang, gegenüber, nach*).

Summary

Prepositions taking one case only

dative	accusative	genitive
aus	durch	während*
bei	für	wegen*
mit	gegen	(an)statt*
nach	ohne	trotz*
seit	um	
von		
zu		
ab	entlang	außerhalb
gegenüber	(*after the noun*)	innerhalb

* usually takes the dative in speech

Prepositions taking the dative or the accusative

an	in	unter
auf	neben	vor
hinter	über	zwischen

when referring to place	wo?	→	dative
	wohin?	→	accusative
when referring to time	wann?	→	dative

Short forms

Some prepositions can form a contraction with the definite article if it is unstressed:

an	+	dem	→	**am**	Das Rathaus liegt am Marktplatz.
an	+	das	→	**ans**	Wir fahren ans Meer.
bei	+	dem	→	**beim**	Ich habe mich beim Skifahren verletzt.
in	+	das	→	**ins**	Ich gehe jetzt ins Kino.
in	+	dem	→	**im**	Im letzten Sommer war es hier sehr heiß.
von	+	dem	→	**vom**	Ich habe das vom Chef gehört.
zu	+	der	→	**zur**	Ich gehe jetzt zur Schule.
zu	+	dem	→	**zum**	Ich gehe jetzt zum Supermarkt.

but: Ich gehe jetzt *in das* Kino, das du mir empfohlen hast.

Here the stressed definite article is essentially demonstrative, referring to a specific cinema. A short form is not possible.

Prepositions of place

Prepositions of place are used after the questions:

Woher komme ich?	→	origin
Wo bin ich?	→	present place
Wohin gehe ich?	→	direction, destination

	where from?		where?	where to?
①	aus	↔	in + *dat.*	nach
②	aus	↔	in + *dat.*	in + *acc.*
③	von		auf + *dat.*	auf + *acc.*
④	von		an + *dat.*	an + *acc.*
⑤	von		an + *dat.*	zu
⑥	aus		in	zu
⑦	von		bei	zu
	origin		**present place**	**direction**
	aus, von		an, auf, in, bei	an, auf, in, nach, zu

The difference between *aus* and *von*:

* *Aus* is used if *in* can also be used in a similar context:
Ich nehme das Buch *aus dem* Regal.
Ich lege das Buch *ins* Regal.

* *Von* is used if *in* <u>cannot</u> be used in a similar context:
Ich komme gerade *vom* Strand.
Ich gehe *an den / zum* Strand.

The list below shows a few simple rules:

an	on the edge of, bordering on
nach	only with names of towns, countries without article, continents
zu	direction, destination

Prepositions referring to position and direction

	Wo sind Sie?	**Wohin** gehen / fahren Sie?
①	**in** + *dat.*	**nach**
towns	Ich wohne *in* Rom.	Ich fahre *nach* Rom.
countries	Ich wohne *in* Italien.	Ich fahre *nach* Italien.
②	**in** + *dat.*	**in** + *acc.*
buildings	Ich bin gerade *im* Büro.	Ich gehe jetzt *ins* Büro.
regions	Ich wohne *im* Schwarzwald.	Ich fahre *in den* Schwarz-
mountains		wald.
countries + article	Ich wohne *in der* Schweiz.	Ich fahre *in die* Schweiz.
street names	Ich wohne *in der* Maistraße.	Ich gehe *in die* Maistraße.
③	**auf** + *dat.*	**auf** + *acc.*
locations	Die Suppe steht *auf* dem Tisch.	Ich stelle die Suppe *auf den* Tisch.
names of mountains	Ich war heute *auf* der Zugspitze.	Ich gehe morgen *auf die* Zugspitze.
groups of islands	Wir waren *auf* den Malediven.	Wir fahren *auf die* Malediven.
single islands	Wir waren *auf* Kreta.	Wir fahren *auf/nach* Kreta.
④	**an** + *dat.*	**an** + *acc.*
oceans, rivers, lakes	Ich mache Urlaub *am* Mittelmeer.	Ich fahre *ans* Mittelmeer.
beaches, shores	Ich war heute lange *am* Strand.	Ich gehe *an den/zum* Strand.
⑤	**an** + *dat.*	**zu**
names of squares	Ich bin gerade *am* Marktplatz.	Ich gehe jetzt *zum* Marktplatz.
⑥	**in** + *dat.*	**zu**
shops	Ich bin gerade *in der* Apotheke.	Ich gehe jetzt *zur* Apotheke.
banks, post offices	Ich bin gerade *in / auf der* Post.	Ich gehe *zur / auf die* Post.
⑦	**bei**	**zu**
persons	Ich war gerade *beim* Chef.	Ich gehe jetzt *zum* Chef.
	exception	
	Ich bin gerade *zu* Hause.	Ich gehe jetzt *nach* Hause.

Prepositions of place that take the dative or the accusative

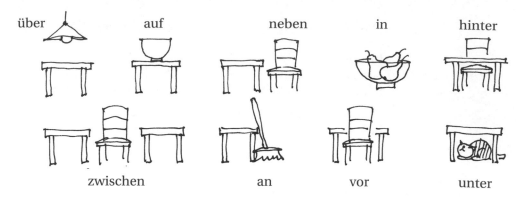

über   auf   neben   in   hinter

zwischen   an   vor   unter

setzen / sitzen – stellen / stehen – legen / liegen – hängen / hängen

A number of verbs which look similar but require different cases are often used in conjunction with this group of prepositions.

Movement, change of location	Result of an action, state of rest
wohin + accusative	**wo** + dative

(sich) setzen, setzte, hat gesetzt
Ich setze mich *auf das* Sofa.

(sich) stellen, stellte, hat gestellt
Ich stelle das Glas *auf den* Tisch.

(sich) legen, legte, hat gelegt
Ich lege mich jetzt *ins* Bett.

hängen, hängte, hat gehängt
Ich hänge die Lampe *über den* Esstisch.

regular verbs

sitzen, saß, ist / hat gesessen
Ich sitze *auf dem* Sofa.

stehen, stand, ist / hat gestanden
Das Glas steht *auf dem* Tisch.

liegen, lag, ist / hat gelegen
Ich liege schon *im* Bett.

hängen, hing, ist / hat gehangen
Die Lampe hängt *über dem* Esstisch.

irregular verbs

List of all prepositions of place

Prepositions taking the dative

ab	starting point	Ich fliege *ab* Frankfurt mit Lufthansa.
aus	movement from enclosed space	Sie geht *aus dem* Haus.
	origin	Sie kommt *aus* Deutschland.
bei	place nearby	Wiesbaden liegt *bei* Frankfurt.
	person	Ich wohne noch *bei meinen* Eltern.
	place of work	Ich arbeite *bei* Siemens.
gegenüber	on opposite side	*Gegenüber der* Post gibt es ein Café.
		Der Post *gegenüber* gibt es ein Café.
	person (after the noun)	*Mir gegenüber* saß ein netter Mann.
nach	places and countries without an article	Ich fahre morgen *nach* Hamburg.
		Ich fahre *nach* Holland / Spanien.*
	directions	Gehen Sie *nach* unten / links / Osten.
von	starting point	Ich komme gerade *vom* Büro / *von meiner* Freundin / *von* unten.
	genitive substitute	Das ist die Kassette *von meinem* Bruder.
zu	destination	Ich fahre jetzt *zu meinem* Freund / *zum* Bahnhof.

* Names of countries with an article: Ich fahre *in die* Schweiz / *in die* Türkei …

Prepositions taking the accusative

bis	place (destination) without an article	*Bis* Frankfurt am Main sind es mindestens noch 200 km.
bis zu + *dat.*	place (destination)	*Bis zum* Strand sind es 5 Minuten.
bis an	with an article	Geh nicht *bis an den* Rand des Abhangs!
durch	movement through	Die Katze springt *durch das* Fenster.
entlang *(after the noun)*	parallel movement	Gehen Sie immer *diese* Straße *entlang*.
gegen	movement with contact	Das Auto fuhr *gegen den* Baum.
um (herum)	around a central point	Die Kinder sitzen *um den* Tisch. Ich gehe *um das* Haus (herum).

Prepositions taking the dative or the accusative

an	lateral contact	wo	Das Bild hängt *an der* Wand.
		wohin	Ich hänge das Bild *an die* Wand.
	bordering on	wo	Köln liegt *am* Rhein.
		wohin	Wir fahren *ans* Meer.
	location	wo	Der Tisch steht *an der* Wand.
		wohin	Ich stelle den Tisch *an die* Wand.
auf	touching the top of	wo	Die Tasse steht *auf dem* Tisch.
		wohin	Ich stelle die Tasse *auf den* Tisch.
	post offices, banks	wo	Er arbeitet *auf der* Post.
		wohin	Ich gehe jetzt *auf die* Bank.
hinter	position behind	wo	Das Kind versteckt sich *hinter der* Mutter.
		wohin	Er stellt den Koffer *hinter die* Tür.
in	inside	wo	Ich liege *im* Bett.
		wohin	Ich lege mich jetzt *ins* Bett.
	within limited spaces	wo	Die Kinder spielen *im* Garten.
		wohin	Ich gehe jetzt *in den* Garten.
	continents	wo	Wir waren schon *in* Europa.
		wohin	– (compare *nach*)
	countries, place names	wo	Wir waren schon *in* Italien / *in* Rom.
		wohin	– (compare *nach*)
	geographical regions mountain areas	wo	Wir waren schon *im* Schwarzwald / *im* Gebirge.
		wohin	Wir fahren *in den* Schwarzwald / *ins* Gebirge.
neben	very close to, beside	wo	Der Schrank steht *neben der* Tür.
		wohin	Wir stellen den Schrank *neben die* Tür.
über	above (without contact)	wo	Die Lampe hängt *über dem* Tisch.
		wohin	Wir hängen die Lampe *über den* Tisch.
	movement over/across	wo	–
		wohin	Wir gehen schnell *über die* Straße.

	place en route	wo	–
		wohin	Wir fahren *über* Frankfurt nach München.
unter	below	wo	Die Katze liegt *unter der* Bank.
		wohin	Die Katze legt sich *unter die* Bank.
	groups of people	wo	*Unter den* Zuhörern wird eine Reise verlost.
		wohin	Sie verteilen Flugblätter *unter die* Passanten.
vor	in front of	wo	*Vor dem* Haus steht ein alter Baum.
		wohin	Wir stellen das Auto *vor die* Garage.
zwischen	in between	wo	Ich sitze *zwischen den* beiden Kindern.
		wohin	Ich setze mich *zwischen die* beiden Kinder.

Prepositions taking the genitive

außerhalb*	not within, not inside	Ich wohne lieber *außerhalb* der Stadt.
innerhalb*	within, inside	Diese Fahrkarte ist nur *innerhalb* der Stadt gültig.

* also often used with *von*.

wohin + accusative	**wo** + dative
Direction, movement in a particular direction	Location, movement within a location

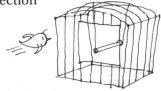

▶ Exercises 1–17

Prepositions of time

Prepositions of time are used after the question:

Wann passiert etwas?   → point in time, duration

Prepositions taking one case only

dative	accusative	genitive
ab	bis	während*
aus	für	innerhalb
bei	gegen	außerhalb
nach	um	
seit		
von (… bis / an)		
zu		

* usually takes the dative in speech

Prepositions taking the dative or the accusative

dative	accusative
an	über
in	
vor	
zwischen	

prepositions referring to place that take the dative or the accusative	wo?	→	dative
	wohin?	→	accusative

prepositions referring to time that take the dative or the accusative	wann?	→	dative
	(exception: *über*)		

Point in time

an + *dat.*	days of the week dates times of the day holidays	Hoffentlich schneit es *am* Sonntag! J.W. von Goethe ist *am* 28.8.1749 geboren. Ich gehe *am* Nachmittag ins Schwimmbad. Ausnahme: *in der* Nacht Wir kommen *an* Weihnachten.
aus + *dat.*	origin in time	Dieses Bild ist *aus dem* 18. Jahrhundert.
gegen + *acc.*	approximate time of day approximate clock times	Wir kommen *gegen* Mittag zurück. Wir kommen *gegen* 13 Uhr zurück.
in + *dat.**	weeks months seasons centuries point in the future	Ich mache das *in der* nächsten Woche. Er besucht mich *im* Mai. Wir fahren *im* Winter nach Teneriffa. Mozart ist *im* 18. Jahrhundert geboren. Ich bin *in* fünf Minuten zurück.
nach + *dat.*	after an event	Kommst du *nach dem* Unterricht zu mir?
um + *acc.*	precise clock times approximate dates	Der Zug kommt *um* 15.34 Uhr an. J.W. von Goethe ist so *um* 1750 geboren.
vor + *dat.*	before something else	Gehen wir *vor dem* Abendessen noch spazieren?

* Years are either stated without a preposition or *im Jahre* is used (dated):
J.W. von Goethe ist 1749 geboren. – J.W. von Goethe ist im Jahre 1749 geboren.

Duration

ab + *dat.* **von … an** + *dat.*	starting in the present starting in the future	*Ab* heute habe ich Urlaub. *Von* heute *an* habe ich Urlaub. *Ab* nächster Woche habe ich Urlaub. *Von* nächster Woche *an* habe ich Urlaub.
seit + *dat.*	starting point in the past	Meine Mutter ist *seit* Montag zu Besuch.
von + *dat.* **… bis**	start and finish	Ich habe *vom* 15. *bis* 29.5. Urlaub.
zwischen + *dat.*	start and finish	*Zwischen dem* 2. und 5. April ist das Büro geschlossen.
in + *dat.*	duration (approximate)	*In den* letzten Jahren war ich oft krank.

bis + *dat.*	end point in time	Ich habe noch *bis* Sonntag Urlaub.
innerhalb + *gen.*	end point in time	Diese Arbeit muss *innerhalb eines* Monats fertig sein.*
innerhalb von + *dat.*	end point in time	Diese Arbeit muss *innerhalb von einem* Monat fertig sein.*
außerhalb + *gen.*	duration	*Außerhalb der* Bürozeiten können Sie eine Nachricht auf dem Anrufbeantworter hinterlassen.
bei + *dat.*	point in time / duration	*Beim* Essen erzählte sie mir von ihrer Reise. (often used with verbal noun)
während + *gen./dat.*	duration	*Während des* Essens erzählte sie mir von ihrer Reise. *
zu	duration	*Zu dieser* Zeit war ich in Urlaub.
über + *acc.*	duration	Wir fahren *übers* Wochenende weg.
–/… lang *(after the noun)* or past	duration in the present	Wir waren im Juli drei Wochen in Rom. Wir waren im Juli drei Wochen *lang* in Rom.**
–/für …	duration in the future	Ich bleibe zwei Jahre in Deutschland. Ich bleibe *für* zwei Jahre in Deutschland.**

* used mainly with the genitive in written language, the dative in speech
** In this sentence the preposition can but needn't be used.

▶ Exercises 18–25

Prepositions expressing manner

Prepositions expressing manner are used after the questions:

Wie mache ich das? → manner
Wie ist das? → properties, characteristics

Prepositions taking one case only	dative	accusative
	aus	ohne
	mit	
	nach	
	zu	

Prepositions taking the dative or the accusative	dative	accusative
	in	auf

auf + *acc.*	Dieser Film ist *auf* Deutsch. Er macht alles *auf* seine Art.
aus + *dat.*	Dieser Pullover ist *aus* Baumwolle.
in + *dat.*	Ich habe jetzt leider keine Zeit. Ich bin *in* Eile. Ich habe das nur *im* Spaß gesagt.
mit + *dat.*	Ich fahre *mit dem* Zug nach Dresden. Sie trinkt Tee immer *mit* Milch.
nach + *dat.* *(after the noun)*	Meiner Meinung *nach* wird es heute noch regnen. Bitte der Reihe *nach* anstellen.
ohne + *acc.*	Er macht nichts *ohne* seine Frau.
zu + *dat.*	Ich gehe gern noch ein bisschen *zu* Fuß. *Zum* Glück ist sie nicht verletzt.

▶ Exercise 26

Prepositions expressing cause

Prepositions expressing cause are used after the question:

Warum ist das so?　　→　reason, cause

Prepositions taking one case only	dative	genitive/dative
	aus bei	wegen

Prepositions taking the dative or the accusative	dative
	vor

aus + *dat.*	motive for an action	Ich helfe ihr *aus* Mitleid / *aus* Freundschaft. Er ist sehr krank. *Aus diesem* Grund müsst ihr ihm helfen.
bei + *dat.*	reason/cause	*Bei diesem* schlechten Wetter gehe ich nicht spazieren.
vor + *dat.*	impact on a person	Sie zittert *vor* Angst / *vor* Kälte. Das Kind weint *vor* Schmerzen.
wegen + *gen. / dat.*	reason/cause	*Wegen des* schlechten Wetters hat das Fußballspiel nicht stattgefunden. *Wegen dir* sind wir zu spät gekommen!

Prepositional phrases expressing cause can be replaced by a subordinate clause with *weil*:

Ich helfe ihr *aus* Mitleid.	→	Ich helfe ihr, *weil* ich Mitleid mit ihr habe.
Sie zittert *vor* Angst.	→	Sie zittert, *weil* sie Angst hat.

▶ Exercise 27

▶ 💿 Chapter 3, exercises 1–8

1 Make sentences.

1. Bus – Bahnhof – Fährt – zum – der – ?
2. fahre – nach – Am – Berlin – ich – Sonntag – .
3. Arzt – musst – Du – unbedingt – zum – gehen – !
4. gehen – Wann – nach Hause – Sie heute – ?
5. Spanien – kommt – aus – Antonio – .
6. Chef – haben – Termin – beim – Sie – Wann – den – ?
7. Sie – bitte noch schnell – Können – Post – gehen – zur – ?
8. ist – Meine Frau – jetzt – zu Hause – .

2 *in* (+ acc.) or *nach*: Supply the missing prepositions and articles.

Sie fährt …

1. _____ Schweiz.
2. _____ London.
3. _____ Türkei.
4. _____ Kalifornien.
5. _____ Asien.
6. _____ Alpen.
7. _____ Holland.
8. _____ die USA.

3 *bei* (where?) or *zu* (where to?): Add the missing prepositions and articles.

1. ▲ Was haben Sie denn am Wochenende gemacht?
   ● Am Wochenende war ich _____ meiner Freundin in Dresden.
2. ▲ Wohin gehst du?
   ● _____ Nachbarin.
3. ▲ Wo waren Sie denn? Ich habe Sie überall gesucht!
   ● Ich war nur kurz _____ meinem Kollegen im Nebenzimmer.
4. ▲ Du wolltest doch heute noch _____ Friseur gehen.
   ● Schon, aber er hatte leider keinen Termin mehr frei.

4 Which preposition is correct? Mark it with a tick or cross.

1. Ich gehe jetzt beim/<u>zum</u> Arzt.
2. Julian fährt beim/mit dem Bus zu/nach Hause.
3. Ich brauche Geld. Ich gehe noch schnell zur/nach Bank.
4. Der Fahrkartenautomat ist direkt am/im Bahnsteig.
5. Heute Abend bin ich sicher nach/zu Hause.
6. Einen Stadtplan können Sie an der/in der Buchhandlung kaufen.
7. Am Wochenende fahren wir nach/in Österreich.
8. Angela kommt von/aus der Schweiz.

5 *in, an, auf, zu* (= where to?) – *aus, von* (= where from?): Supply the missing prepositions and articles. In some cases there are two possibilities

Claudia geht / fährt ...   Claudia kommt gerade ...

1. _zur / in die_ Bäckerei (f.).   _aus der_ Bäckerei.
2. _____ Büro (n.).   _____ Büro.
3. _____ Kirchplatz (m.).   _____ Kirchplatz.
4. _____ Fichtelgebirge (n.).   _____ Fichtelgebirge.
5. _____ Bank (f.).   _____ Bank.
6. _____ Supermarkt (m.) zum Einkaufen.   _____ Supermarkt.
7. _____ See (m.) zum Schwimmen.   _____ See.
8. _____ Kanarischen Inseln (Pl.).   _____ Kanarischen Inseln.
9. _____ Blumenstraße (f.).   _____ Blumenstraße.
10. _____ Oper (f.).   _____ Oper.

6 Where was Claudia today?
Rewrite the sentences in exercise 5 in the past tense

1. *Sie war in der Bäckerei.*
...

7 Dative (where?) or accusative (where to?):
Supply *in, an, auf* and the article.

1. ▲ Kommst du mit mir heute _____ Stadion (n.) zum Fußballspiel?
    ● Tut mir leid, aber ich habe keine Zeit. Ich fahre mit meiner Familie _____ See (m.) zum Baden.
2. ▲ Wo haben Sie denn diesen tollen Hut gekauft?
    ● _____ Kaufhaus (n.) _____ Marktplatz (m.).
3. ▲ Ich muss noch Geld wechseln. Wo kann ich das machen?
    ● _____ Bank (f.).
4. ▲ Wir möchten im Sommer _____ Seychellen (pl.) fliegen. Wissen Sie, wie teuer ein Flug dorthin ist?
    ● Nein, leider nicht. Aber gehen Sie doch _____ Reisebüro (n.) nebenan und fragen Sie dort.
5. ▲ Kinder, warum geht ihr denn bei diesem schönen Wetter nicht _____ Park (m.), sondern sitzt den ganzen Tag hier _____ Zimmer (n.)?
    ● Wir waren heute Vormittag schon _____ Park (m.), und jetzt wollen wir hier _____ Wohnung (f.) bleiben und fernsehen.

8 Complete the sentences with the nouns given below and *in, auf* or *zu*. In some cases there are two possibilities.

Note the difference:
in and *zu* with buildings/shops:
zu stresses the destination;
     the stay will be brief:
     Ich gehe jetzt *zur* Bäckerei.
in staying in a place;
     the stay will be longer:
     Ich gehe heute *ins* Theater.

With *Post* and *Bank* both *zu* and *auf* can be used:
zu always possible:
     Ich gehe *zur* Bank/Post/Bäckerei.
auf only possible with *Post* and *Bank*:
     Ich gehe *auf die* Post/Bank.

With names of squares always *zu*:
Ich gehe *zum* Marktplatz.

Rule of thumb:
Zu can always be used with buildings except when your stay there is likely to be longer.

```
Buchhandlung (f.)   Apotheke (f.)
Flughafen (m.)      Kino (n.)
Metzgerei (f.)      Restaurant (n.)
```

1. Er möchte Fleisch kaufen.
   Er geht _____ .
2. Sie möchte sich einen Film ansehen.
   Sie geht _____ .
3. Wir müssen Tabletten kaufen.
   Wir gehen _____ .
4. Ich muss nach Berlin fliegen.
   Ich fahre _____ .
5. Sie wollen mit Freunden essen gehen.
   Sie gehen _____ .
6. Er will ein Buch kaufen.
   Er geht _____ .

9 Rewrite the sentences in exercise 8 in the past tense.

1. *Er war in der Metzgerei, …*

10 *von* or *aus* (where from?): Supply the missing prepositions and articles.

1. ▲ Hallo Ingrid, was machst denn du hier?
   ● Ich komme gerade _____ Büro und bin auf dem Weg nach Hause.
2. ▲ Woher wissen Sie das?
   ● _____ Herrn Steffen.
3. ▲ Woher kommst du jetzt?
   ● _____ Arzt.
4. ▲ Wann kommt denn Ihre Frau _____ Krankenhaus?
   ● Nächste Woche.

11 Supply the missing prepositions and articles.

1. Nächste Woche möchte ich _____ meiner Oma _____ Schweiz fahren. Meine Großeltern haben früher _____ Süddeutschland gewohnt, aber seit ein paar Jahren wohnen sie nun _____ Schweiz. Dort haben sie sich ein Haus _____ einem kleinen See _____ Bergen gekauft.

2. In München war ich _____ Olympiaturm, _____ Olympia-stadion, _____ Deutschen Museum, _____ Englischen Garten, _____ Isar (f.), _____ meiner Tante, _____ Leopold-straße _____ Schwabing, _____ Marienplatz und _____ Biergarten _____ Kleinhesseloher See.

12 Make up dialogues using the prepositions given below and the verbs *liegen/legen, stellen/stehen, hängen*.

> zwischen   in   an   unter   ~~auf~~
>   in   neben   an

1. Sweatshirt (n.) – Bett (n.)
   - ▲ *Mama, wo ist denn mein Sweatshirt?*
   - ● *Ich habe es auf dein Bett gelegt.*
   - ▲ *Es liegt aber nicht mehr auf dem Bett!*
   - ● *Dann weiß ich auch nicht, wo es ist.*
2. Jacke (f.) – Garderobe (f.)
3. Fußball (m.) – Keller (m.)
4. Schere (f.) – Schublade (f.)
5. Schlüssel (Pl.) – Schlüssel-brett (n.)
6. Schuhe (Pl.) – Bank (f.)
7. Tasche (f.) – Regal (n.) und Schrank (m.)
8. Taschenlampe (f.) – Lexikon (n.)

13 Make questions and answers.

Das ist Dominiks unordentliches Zimmer. Wo liegen/stehen/hängen seine Sachen?

Wo liegt die Armbanduhr? – Sie liegt unter dem Tisch neben dem Bett. Wo …

14 Make questions and answers as in exercise 13.

Wohin hat Dominik seine Sachen gelegt / gestellt / gehängt?

Wohin hat er die Armbanduhr gelegt? – Er hat sie unter den Tisch neben seinem Bett gelegt. …

15 Make sentences. Where did Mr and Mrs Berger spend their holiday?

1. Hotel – Kreta
   In einem Hotel auf Kreta.

2. Pension – Berlin

3. Freunden – Japan

4. Schiff – Mittelmeer (n.)

5. Stadt – Rhein (m.)

6. Insel – Indischer Ozean (m.)

7. Bungalow – Südküste von Spanien

8. Haus – Alpen (pl.)

16 Look at the drawing. Supply the missing prepositions and articles. Draw the picture.

1. _____ dies___ Bild sieht man im Vordergrund einen See.

2. _____ See ist ein kleines Boot.

3. _____ Boot sitzen ein Mann und ein Kind.

4. _____ See herum geht eine Familie mit einem Hund spazieren.

5. _____ See liegt ein Dorf.

6. _____ Mitte des Dorfes gibt es eine Kirche. Links _____ Kirche steht das Rathaus. _____ Rathaus ist ein Café.

7. _____ des Dorfes gibt es einen Fußballplatz.

8. _____ See _____ gibt es eine kleine Straße.

9. _____ dies___ Straße gab es einen Unfall: ein Fahrradfahrer ist _____ einen Baum gefahren.

10. Rechts _____ Dorf ist ein kleiner Berg. _____ Berg steht eine alte Burg.

Add the prepositions given in the box to the letter and supply the missing articles.

in (8 x)	aus	zwischen
nach (3 x)	zu	an (3 x)
um	neben	entlang
gegenüber	hinter	über

Liebe Großeltern,

wie geht es Euch? Seid Ihr gesund? Wann kommt Ihr mich endlich mal besuchen? Seit einer Woche bin ich nun _____ wunderschönen Stadt Freiburg _____ Breisgau*. _____ meinem Studentenheim habe ich schon ein paar nette Leute kennengelernt. _____ Zimmer _____ mir wohnt zum Beispiel eine Studentin _____ Schweden, mit der ich viel Zeit verbringe, und _____ Zimmer _____ wohnt eine deutsche Studentin, die mich schon einmal _____ ihren Eltern eingeladen hat. Hier _____ Freiburg gibt es auch viele gemütliche Kneipen und kleine Bistros, Kinos, Theater etc. Es wird mir nie langweilig.

Aber auch die Gegend _____ Stadt herum ist sehr, sehr schön. Freiburg liegt _____ westlichen Rand des Schwarzwaldes _____ Südwesten von Deutschland. Wenn man den Rhein _____ _____ Süden fährt, kommt man nach ca. 80 km _____ Schweizer Grenze. Gleich _____ der Grenze liegt die Stadt Basel. Das ist eine sehr interessante Stadt.

Wenn man von Freiburg aus _____ Westen _____ Rhein fährt (der Rhein ist die Grenze _____ Deutschland und Frankreich), kommt man _____ Colmar**.

Nächste Woche habe ich meine Sprachprüfung _____ Universität. Deshalb muss ich jetzt viel lernen und jeden Tag _____ Mediothek gehen, um noch mehr zu üben.

Ich schreibe Euch bald wieder und grüße Euch ganz herzlich

Elke

---

*   region around Freiburg
** a town in eastern France

18 *in, –, vor* (= point in time), *seit* (= duration):
Supply the missing prepositions and articles.

1. ▲ Wo ist denn Ihr Sohn? Ich habe
   ihn schon lange nicht mehr
   gesehen.
   ● Er lebt _____ einem Jahr in
   Brasilien.
2. ▲ Wo ist denn Anja?
   ● Sie ist _____ einer halben
   Stunde weggegangen.
   ▲ Und wann kommt sie wieder
   zurück?
   ● Ich weiß es nicht genau, aber
   spätestens _____ einer
   Stunde.
3. ▲ _____ wann arbeiten Sie in
   Leipzig?
   ● Schon _____ zwei Jahren.
4. ▲ Wann sind Sie geboren?
   ● _____ 1968.

5. ▲ Warte zu Hause. Ich hole dich
   _____ zehn Minuten ab.
   ● Das ist sehr nett von dir.
6. ▲ Wann haben Sie geheiratet?
   ● _____ 1988. Also schon
   _____ vielen Jahren.
7. ▲ Wie lange lernen Sie schon
   Deutsch?
   ● _____ einem halben Jahr.
   Ich habe _____ September
   mit dem Sprachkurs begonnen.
8. ▲ Wie lange müssen wir denn
   noch laufen? Wir sind nun
   schon _____ einer Stunde
   unterwegs!
   ● Nicht mehr lange. Wir sind
   spätestens _____ einer
   halben Stunde da.

19 *an* or *in*: Supply the missing
prepositions and articles.

Wir kommen …

1. _____ zehn Tagen.
2. _____ Dienstag.
3. _____ Sommer.
4. _____ April.
5. _____ Nachmittag.
6. _____ Nacht.
7. _____ 31.3.
8. _____ Sonntagabend.

20 *in* or *nach*: Supply the missing
prepositions and articles.

1. Es war eine große Operation. Aber
   _____ einigen Tagen ist er
   schon aufgestanden.
2. Ich gehe schnell zur Apotheke.
   _____ spätestens zehn Minuten
   bin ich wieder da.
3. _____ zwei Monaten habe ich
   meine Prüfung.
4. _____ den Prüfungen mache
   ich erst einmal Urlaub.
5. Unser neuer Angestellter hat schon
   _____ einem Monat die Firma
   wieder verlassen.
6. Gehen wir _____ dem Konzert
   noch ein Glas Wein trinken?

21 Highlight the correct answer.

1. Wie lange wohnen Sie schon in Lübeck?
   Vor – Seit – Während einem Jahr.
2. Wann kommen Sie vom Urlaub zurück?
   In – Nach – Bis drei Wochen.
3. Wann ist das Geschäft geschlossen?
   Zwischen – Während – Ab Weihnachten und Neujahr.
4. Wann hast du dir denn in den Finger geschnitten?
   Am – Um – Beim Kochen.
5. Wann ist denn Ihre Sekretärin in Urlaub?
   Von nächster Woche an. – Aus nächster Woche. – Nach nächster Woche.
6. Wie lange waren Sie denn in Berlin?
   Seit zwei Wochen. – Gegen zwei Wochen. – Zwei Wochen lang.

22 *um* or *gegen*: Supply the missing prepositions and articles.

1. Der Zug ist _____ 23.44 Uhr angekommen.
2. Ich besuche dich morgen _____ Abend. Ist dir das recht?
3. Pablo Picasso hat das Bild „Guernica" so (=ungefähr) _____ 1935 gemalt.
4. Der Direktor kommt so _____ (= ungefähr) 13 Uhr zurück.
5. Wir fahren mit dem Auto und werden so _____ Mittag bei euch sein.
6. Die Konferenz beginnt _____ 16.00 Uhr.

23 Complete the sentences.

1. ▲ Gehen wir heute Abend ins Kino oder nicht?
   ● Ja, natürlich, ich habe die Eintrittskarten schon reserviert. Wann treffen wir uns?
2. ▲ So _____ halb acht. Ist dir das recht?
   ● Wann beginnt denn der Film?
3. ▲ _____ 20.30 Uhr. Ich dachte, dass wir uns ein bisschen früher treffen und _____ dem Film noch etwas trinken gehen könnten.
   ● Das können wir machen. Oder wir gehen _____ dem Film in das neue Bistro, das ich dir schon _____ Langem zeigen will.
4. ▲ Machen wir doch beides! Ich hole dich _____ einer Stunde mit dem Auto ab.
   ● Das ist aber nett von dir. Also, ich warte _____ 19 Uhr unten vor dem Haus auf dich. Dann brauchst du nicht extra einen Parkplatz zu suchen.
5. ▲ Gut, ich bin dann _____ 19 Uhr und 19.15 Uhr bei dir. _____ später!

24 Complete the sentences.

Hans möchte mit Petra ausgehen.
Aber Petra scheint nie Zeit zu haben.

1. ▲ Also, Petra, wie wäre es _____ Freitag? Hast du da Zeit?
   ● Das ist ein bisschen schwierig. _____ Nachmittag möchte ich meine Tante besuchen, die schon _____ einer Woche im Krankenhaus liegt. Ja, und _____ Abend gehe ich zum Sport, und _____ dem Sport bin ich sicher zu müde. _____ Wochenende fahre ich dann zu meinen Eltern.

2. ▲ Schade. Wie sieht es denn bei dir _____ der nächsten Woche aus?
   ● _____ Montag _____ Mittwoch muss ich für meine Firma nach Düsseldorf. _____ Donnerstag bin ich dann wieder hier. Wir könnten uns doch gleich _____ Donnerstagabend treffen?

3. ▲ Das ist leider der einzige Abend _____ der nächsten Woche, an dem ich keine Zeit habe. Vielleicht _____ Freitag?
   ● Ja, aber da kann ich nur _____ 22 Uhr, weil ich _____ 22.30 Uhr ins Kino gehen und „Casablanca" sehen möchte. Darauf freue ich mich schon _____ Langem! Geh doch einfach mit!

4. ▲ Ja, gern, also dann _____ Freitag! Ich hole dich so _____ 20 Uhr zu Hause ab.
   ● Vielen Dank!

25 Complete the sentences.

1. _____ meinem letzten Besuch hattest du dieses neue Sofa aber noch nicht.

2. Thomas arbeitet wirklich sehr diszipliniert. Er hat _____ vier Jahren sein Studium beendet.

3. Dieser Kurs dauert _____ Januar _____ März.

4. Sie ist schon _____ einer Woche angekommen und bleibt noch _____ nächsten Sonntag.

5. Wir bleiben _____ drei Monate in den USA.

6. Ich habe _____ 1995 das Abitur gemacht.

7. Frau Biller hat _____ einer Stunde angerufen.

8. Es ist unhöflich, _____ des Essens Zeitung zu lesen.

9. Kannst du mir dieses Buch _____ Montag leihen?

10. Wir fahren _____ die Feiertage ans Meer.

11. _____ 1. März arbeite ich bei der Firma Jäger.

12. Er hat gleich _____ dem Abitur seinen Führerschein gemacht.

3 Particles

26 Expressing manner: Supply the missing prepositions and articles.

1. Am Freitag fahre ich nur mit meinem Mann, _____ die Kinder, übers Wochenende nach Wien. Endlich sind wir mal wieder nur zu zweit!
2. Diese Bluse ist _____ indischer Seide.
3. Meinen Informationen _____ beginnt die Veranstaltung erst um 19 Uhr.
4. Wenn Sie nach Köln kommen, müssen Sie mich _____ jeden Fall besuchen!
5. Seit ein paar Jahren kann ich leider nur noch _____ Brille lesen.
6. Wir haben dieses Problem _____ allen Einzelheiten besprochen.
7. Meiner Meinung _____ gibt es an dieser Stelle einen Fehler in der Übersetzung.
8. Sie haben die Aufgaben leider nur _____ Teil richtig gelöst.
9. Wir heizen unsere Wohnung _____ Gas.
10. _____ Fremdsprachen-kenntnisse findest du heutzutage keinen guten Job als Sekretärin.
11. Könnten Sie mir bitte diesen Text _____ Englisch übersetzen?
12. Wir hätten gern ein Zimmer _____ Blick aufs Meer.
13. _____ Gegensatz zu mir hat er sehr schnell Ski fahren gelernt.
14. _____ Glück habe ich endlich eine Wohnung gefunden.

27 Expressing cause: Supply the missing prepositions and articles.

1. _____ einer technischen Störung in der U-Bahn sind wir leider viel zu spät gekommen.
2. _____ Angst vor einer Strafe hat er nicht die Wahrheit gesagt.
3. _____ dieser Kälte muss man ja krank werden!
4. Es tut uns leid, aber _____ eines Fehlers in unserem Telefonsystem können wir heute keine Gespräche vermitteln.
5. Am Tag ihrer Hochzeit strahlte die Braut _____ Glück.
6. Ich mache das nur _____ Liebe zu dir.
7. _____ des starken Nebels sind gestern Abend viele Flüge ausgefallen.
8. _____ dieser Hitze müssen Sie viel trinken.
9. Er weinte _____ Glück, als sein erstes Kind geboren war.
10. _____ einer starken Grippe konnte sie leider nicht kommen.

3.2 Particles
Adverbs

Adverbs have the following features:

- They do not decline and therefore do not change. Exceptions are dealt with from Level B2 upwards.
- They can refer to verbs (Ich komme *morgen*.) or adjectives (Das war eine *sehr* schöne Party.)
- Adverbs mainly have the function of qualifiers and are placed in the central part of the clause.

▶ *te-ka-mo-lo* see pages 198–199

Adverbs, like prepositions and conjunctions, can be divided into the following semantic groups.

- adverbs of place
- adverbs of time
- adverbs of manner
- causal, concessive, consecutive adverbs

▶ Prepositions see pages 160–172
▶ Conjunctions see pages 210–217

Adverbs of place

wohin (Direction)

abwärts – aufwärts	Von dort führt der Weg *abwärts* ins Tal.
vorwärts – rückwärts	Passen Sie auf, wenn Sie *rückwärts* fahren!
her – hin	Wo kommst denn du *her*, Toni, du bist ja ganz schmutzig! Wo gehst du *hin*?
(hier)her – dorthin*	Komm bitte *hierher*! Geh bitte *dorthin*!
heraus – hinaus ‣ raus**	Kinder, kommt/geht doch *raus*. Das Wetter ist so schön!
herein – hinein → rein**	Kinder, kommt/geht bitte *rein*. Das Essen ist fertig.
herauf – hinauf → rauf**	Kinder, kommt/geht bitte *rauf*. Ihr müsst ins Bett.

herunter – hinunter → runter**	Kinder, kommt/geht bitte von der Mauer *runter*!
herüber – hinüber → rüber**	Kinder, geht mal bitte zur Nachbarin *rüber* und bittet sie um etwas Zucker. Wir haben keinen mehr.
nach links/rechts	Gehen Sie bitte *nach links/rechts*.
nach oben/unten	Gehen Sie bitte *nach oben/unten*.
nach vorn/hinten	Gehen Sie bitte *nach vorn/hinten*.
nach draußen/drinnen	Gehen Sie bitte *nach draußen/drinnen*.
irgendwohin – nirgendwohin	Ich fahre am Wochenende *irgendwohin* in die Natur. Ich weiß aber noch nicht genau wohin.
überallhin	Mit dir fahre ich *überallhin*.

* *(hier)her* + kommen → where from? / *(dort)hin* + gehen, fahren … → where to?
** The forms *heraus/hinaus* …are mainly used in written language.
    The *hierher/dorthin* rules also apply, i.e. is it motion away from the speaker or towards him?
    In speech, however, the short form *raus* … is used, this is the same for both *heraus* and *hinaus*.

wo (place)

links – rechts	Wo ist denn meine Brille? – Dort *links* auf dem Tisch.
oben – unten	Ich bin *oben*. Komm doch auch rauf!
vorn – hinten	Bitte im Bus nur *vorn* einsteigen!
draußen – drinnen	Kommt doch rein. Es ist schon so kalt *draußen*.
irgendwo – nirgendwo (= nirgends)	Wo ist denn meine Brille? Sie muss *irgendwo* hier sein. – Ich habe sie leider *nirgends* gesehen.
hier – da/dort	Das Haus *da/dort/hier* meine ich. Das gefällt mir.
drüben	Mir gefällt das Haus dort *drüben*.
mitten	Musst du immer *mitten* auf dem Sofa sitzen?
überall	Gestern hat es *überall* in Deutschland geregnet.

woher (origin)

von links – rechts	Wir kommen *von links / rechts.*
von oben – unten	Wir kommen *von oben / unten.*
von vorn – hinten	Wir kommen *von vorn / hinten.*
von draußen – drinnen	Wir kommen *von draußen / drinnen.*
von irgendwoher – nirgendwoher	Woher kommt er? – Ich weiß es nicht, *von irgendwoher* aus Europa.
von überallher	Zu der Hochzeit des Prinzen kamen die Gäste *von überallher* angereist.

Destination

fort – weg	Geh bitte nicht *fort / weg* von mir!
irgendwohin – nirgendwohin	Wohin gehst du? – Ich gehe *nirgendwohin.* Ich ziehe mir nur eine Jacke an, weil mir kalt ist.

Note the difference:

Woher kommen Sie?		Wo sind Sie?		Wohin gehen Sie?	
Ich komme	von oben	Ich bin	oben	Ich gehe	nach oben
	von drinnen		drinnen		nach drinnen
	von links		links		nach links
	von …		…		nach …
	von überallher		überall		überallhin
	von n/irgendwoher		n/irgendwo		n/irgendwohin

Adverbs of time

wann (point in time)	Past	Present	Future
	(vor)gestern	heute	(über)morgen
	vorhin	jetzt, nun	bald
	vorher	gerade	nachher
	früher	sofort, gleich	hinterher
	(ein)mal	bisher	(ein)mal
	neulich		später
	damals		

Past

(vor)gestern	Wir sind *gestern* Abend angekommen.
vorhin	Nein danke, ich habe jetzt keinen Hunger. Ich habe *vorhin* erst etwas gegessen.
vorher	Ich komme nach der Arbeit zu dir. Aber *vorher* muss ich noch kurz nach Hause.
früher	„*Früher* war alles besser", sagt meine Großmutter immer.
(ein)mal	Dies war *(ein)mal* ein gutes Restaurant. Heute ist es leider nicht mehr so gut.
neulich	Hast du Maria mal wieder gesehen? – Ja, wir haben uns *neulich* getroffen.
damals	Vor 15 Jahren war ich schon einmal an diesem See. *Damals* gab es hier noch keine so großen Hotels.

Present

heute	Was machst du *heute* Abend?
jetzt – nun	Das war der letzte Bus. Was machen wir *nun*?
gerade	Was machst du *gerade*? – Ich esse.
sofort – gleich	Warten Sie bitte. Ich komme *gleich*.
bisher	*Bisher* hatte ich keine Probleme mit dem Chef.

Future

(über)morgen	Heute habe ich leider keine Zeit, aber *morgen* oder *übermorgen* kann ich Ihnen gern helfen.
bald	Hoffentlich ist dieser Regen *bald* vorbei!
nachher	Ich möchte jetzt zum Mittagessen gehen. Kann ich den Brief auch *nachher* schreiben?
hinterher	*Hinterher* wissen wir immer alles besser.
(ein)mal	Kommst du mich *(ein)mal* in München besuchen?
später	Karl hat angerufen. Er kommt heute Abend ein bisschen *später*.

Frequency

100% ▬▬▬▬▬▬▬▬▬▬▬▬▬▬▬▬▬▬▬▬▬▬▬▬▬ 0%

| jedes Mal | fast immer | meistens | oft | öfters | manchmal | selten | fast nie | niemals |
| immer | | | häufig | | ab und zu | | | nie |

immer	Sie ist *immer* fröhlich.
jedes Mal	Wenn ich in Paris bin, gehe ich *jedes Mal* ins Centre Pompidou.
meistens*	Am Morgen trinke ich *meistens* Kaffee.
oft – häufig	Ihr streitet euch aber *oft*!
öfters	Das ist ein gutes Geschäft. Wir haben schon *öfters* hier eingekauft.
manchmal – ab und zu	Besuchst du deine Eltern oft? – Nein, nur *ab und zu* am Sonntag.
selten	Ich war *selten* so glücklich wie an diesem Tag!
nie – niemals	Ich war noch *nie* in China.

---

* Note the difference:
meistens (= very often)   Am Morgen trinke ich *meistens* Kaffee.
am meisten (= superlative of *viel*)   Peter verdient von uns allen *am meisten*.

187

Sequence

zuerst	Am Sonntag haben wir *zuerst* geduscht.
dann	*Dann* haben wir gemütlich gefrühstückt.
danach	*Danach* haben wir eine Wanderung um den See gemacht.
schließlich	*Schließlich* waren wir zu müde zum Kochen und sind essen gegangen.
zuletzt	*Zuletzt* haben wir noch einen Espresso in einer kleinen Bar getrunken und sind ins Bett gegangen.

▶ Further *adverbs of time* (*montags, abends* …) see page 133

Adverbs of manner

anders	Ich hätte *anders* reagiert.
beinahe – fast	Mein Gott, *beinahe* wäre mir die Schüssel runtergefallen!
besonders	Dieses Hotel hat uns *besonders* gut gefallen.
bestimmt	Er wollte dir *bestimmt* nicht weh tun!
etwas	Ich habe mittags *etwas* geschlafen.
ebenso wie – genauso wie	Sie kocht *genauso* gut *wie* ihre Mutter.
gar nicht – überhaupt nicht	Ich weiß *überhaupt nicht,* wie ich das alles schaffen soll.
gern	Vielen Dank für die Einladung. Wir kommen sehr *gern*.
höchstens	Leider können wir *höchstens* drei Tage hier bleiben.
irgendwie	Vielleicht werde ich krank. Ich fühle mich heute *irgendwie* nicht wohl.
kaum	Letzte Nacht habe ich *kaum* geschlafen, weil ich so starke Zahnschmerzen hatte.

leider	Er weiß es *leider* auch nicht.
mindestens	Jetzt geht es mir gut. Ich habe letzte Nacht *mindestens* zehn Stunden geschlafen.
sehr	Das Essen war wirklich *sehr* gut!
so	Schau her und mach es *so* wie ich.
umsonst	Wir sind *umsonst* zum Bahnhof gefahren. Sie ist nicht gekommen.
wenigstens	Du könntest *wenigstens* beim Geschirrspülen helfen, wenn du schon sonst nichts machst.
ziemlich	Es ist *ziemlich* kalt geworden.

Causal, concessive, consecutive adverbs

causal

deshalb – deswegen – daher – darum	In zehn Minuten fährt der Zug. *Deshalb* sollten wir uns beeilen!
nämlich *(nach dem Verb!)*	Ich muss das heute noch fertigmachen, ab morgen bin ich *nämlich* in Urlaub.

concessive

trotzdem – dennoch	Ich habe es verboten. Er hat es *trotzdem* getan.

consecutive

also	Sein Auto steht vor der Tür. Er ist *also* zu Hause.

▶ Exercises 1–7

▶ 🔘 Chapter 3, exercises 9–10

---

1 *hierher, dorthin, her, hin, rauf, runter, raus, rein, rüber*:
Complete the sentences.

These adverbs (*her, hin, rauf, runter, raus, rein, rüber*) can be used on their own or in conjunction with verbs of movement (*kommen, gehen ...*):

Sie müssen diese Treppe hinaufgehen / raufgehen.
Können Sie bitte mal herkommen?

1. ▲ Was machen Sie denn da oben?
   ● Von hier hat man einen wunderschönen Ausblick. Ich möchte ein paar Fotos machen. Kommen Sie doch auch _____! Es lohnt sich wirklich.

2. ▲ Kommen Sie nur _____. Die Tür ist offen.
   ● Danke.
   ▲ Setzen Sie sich doch bitte _____. Ich komme auch gleich.

3. ▲ Kommt doch mal _____ auf die Terrasse, ich muss euch etwas zeigen.
   ● Was ist denn los?

4. ▲ Du, wir sind gerade im „Tivoli", komm doch auch _____.
   ● Nein danke, ich habe heute keine Lust mehr auszugehen.

5. ▲ Möchten Sie nicht auf ein Glas Wein zu uns _____kommen? Dann können wir auf eine gute Nachbarschaft trinken.
   ● Ja gern, das ist sehr nett von Ihnen.

6. ▲ Mama, wo bist du?
   ● Ich bin hier unten im Keller.
   ▲ Komm mal bitte _____. Ich muss dich was fragen.
   ● Ich kann jetzt nicht. Komm du doch _____.

7. ▲ Thomas ist draußen. Geh doch auch _____ und spiel mit ihm.
   ● Wenn er mit mir spielen will, kann er auch _____kommen.

8. ▲ Herr Dr. Schneider, könnten Sie bitte einen Moment _____kommen?
   ● Natürlich, was gibt es?

9. ▲ Kommt doch auch _____ und setzt euch zu uns!
   ● Danke schön.

10. ▲ Gehen Sie bitte _____. Das Sekretariat ist im 1. Stock.
    ● Wir waren gerade oben. Es ist aber niemand da.

2 Give the opposite.

1. hinaus (raus)   _____
2. irgendwo   _____
3. hier   _____
4. links   _____
5. von vorn   _____
6. nach draußen   _____
7. nirgendwohin   _____
8. hinunter (runter)   _____
9. abwärts   _____
10. rückwärts   _____

3 Fill in the correct adverbs.

1. Haben Sie schon unsere Dachterrasse gesehen?
   Kommen Sie bitte mit mir _nach oben_ .

   oben / aufwärts / nach oben

2. Wir sind schon fast _____ gereist, nur
   nicht nach Südostasien.

   überallhin / irgendwohin / überall

3. Mein Vater ist draußen im Garten.
   Gehen Sie bitte _____ zu ihm.

   weg / rüber / hinaus

4. Morgen fahren wir auf den Olympiaturm.
   _____ dort _____ hat man
   einen herrlichen Blick über München und
   bis zu den Alpen.

   von ... oben / nach ... oben

5. Ich habe mein neues Fahrrad immer
   _____ im Keller. Dort steht es
   sicherer als im Hof.

   runter / nach unten / unten

6. Bitte schau _____ , wenn du Auto
   fährst, und dreh dich nicht immer zu den
   Kindern um.

   vorwärts / hierher / nach vorn

7. Hier gefällt es mir so gut, dass ich gar nicht
   mehr _____ möchte.

   irgendwohin / fort / überallhin

8. Kommen Sie bitte _____ .

   hierher / rechts / dorthin

4 Please complete. In some cases there is more than one possibility.

1. ▲ Claudia, wo bleibst du denn?
   Wir warten alle auf dich!
   ● Keine Panik! Ich komme
   sofort / gleich.

2. ▲ Hast du schon deine Hausaufgaben gemacht?
   ● Nein, die mache ich _____ .

3. ▲ Wo ist denn mein Geldbeutel?
   ● Ich weiß es nicht, aber
   _____ lag er noch hier
   auf dem Tisch.

4. ▲ Oma, wo warst du denn auf
   Hochzeitsreise?
   ● Ach Kind, _____ gab es
   so etwas noch nicht. Wir hatten
   kein Geld für Reisen.

5. ▲ Warum hast du mich denn
   nicht _____ gefragt?
   Ich hätte dir gern geholfen.
   ● Ja, das war dumm von mir.
   Aber _____ ist man
   immer schlauer.

6. ▲ Wie gefällt dir denn dein
   neuer Job?
   ● _____ macht mir die
   Arbeit sehr viel Spaß.
   Ich hoffe, es bleibt so.

7. ▲ Jetzt machen wir erst mal
   eine Pause. Wir können
   _____ weitermachen.
   ● Gute Idee!

8. ▲ Wo ist denn Frau Kirchner?
   ● Ich weiß es nicht. Sie war
   doch _____ noch hier.

5 Please answer.

1. Wie häufig gehen Sie in die Oper?
   Nie.
   _____

2. Wie oft bringen Sie Ihrer
   Freundin / Frau Blumen mit?
   _____

3. Wie oft sind Sie unpünktlich?
   _____

4. Wie häufig sagen Sie nicht die
   Wahrheit?
   _____

5. Wie oft essen Sie Fleisch pro
   Woche?
   _____

6. Wie oft sind Sie in Ihrem Leben
   schon umgezogen?
   _____

7. Wie häufig treiben Sie Sport?
   _____

8. Wie oft essen Sie im Restaurant?
   _____

9. Wie oft frühstücken Sie im Bett?
   _____

10. Wie häufig sehen Sie fern?
    _____

6 Fill in the adverbs given below.

> fast   bestimmt   wenigstens   ~~sehr~~
>   kaum   genauso   irgendwie   umsonst
> sehr   höchstens   ziemlich   fast

1. Gute Nacht, ich gehe jetzt ins Bett, ich bin _sehr_____ müde.
2. Warum hast du nicht _____ angerufen, wenn du so spät kommst?
3. Sie ist _____ hübsch wie ihre Mutter!
4. Leider haben wir den Auftrag nicht bekommen. So war unsere ganze Arbeit _____ .
5. Sie können sich auf mich verlassen. Was ich verspreche, mache ich auch ganz _____ .
6. Er hat so leise gesprochen, dass ich _____ etwas verstanden habe.
7. Ich habe im Moment auch keine Idee, aber _____ müssen wir dieses Problem lösen.
8. Meine Großmutter ist sehr krank. Sie isst _____ nichts mehr und hat _____ viel abgenommen. Jetzt wiegt sie _____ noch 54 kg.
9. Ich muss jetzt unbedingt etwas essen. Ich habe heute den ganzen Tag noch _____ nichts gegessen.
10. Ich bin sehr müde, denn die Bergtour war _____ anstrengend.

7 Fill in a causal, concessive or consecutive adverb.

1. Meine Kollegin ist sehr erkältet. _____ kommt sie ins Büro.

2. Ich habe den Bus verpasst. _____ bin ich leider zu spät gekommen.

3. Ich habe nichts bestellt, _____ muss ich auch nichts zahlen.

4. Morgen muss ich früh aufstehen, _____ gehe ich jetzt schlafen.

5. Es gibt zu wenig Schnee, _____ können wir am Wochenende nicht Ski fahren.

6. Er lernt erst seit zwei Monaten Französisch. _____ spricht er schon ziemlich gut.

▶ Further exercises on *causal, concessive and consecutive adverbs* see page 208

4.1 Clause and sentence structure
Valency of the Verb

A sentence consists of various elements: subject, verb, objects, qualifiers etc, which all follow a fixed order. In German this order is determined by the verb.

The verb is the most important element in the sentence. It determines how many complements (= subject/objects) are obligatory in a sentence and which case they take. This is called **valency of the verb.**

Remember: **Complements** are obligatory elements of a sentence (subject, objects) which depend on the verb. **Qualifiers** are optional elements of a sentence (expressions of time/place/ ...) which do not depend on the verb.

Verb + nominative

Some verbs require only one complement in the nominative (= subject) to form a complete grammatical sentence.

Ich	schlafe.
Das Kind	spielt.
Es	regnet.
...	

NOM

schlafen

Verb + nominative + accusative

In German most verbs also require an object (= accusative or dative) in addition to the subject (= nominative). If the verb requires only one object to form a complete grammatical sentence this object is usually in the accusative.

Ich	kaufe	Milch.
Ich	bestelle	eine Cola.
...		

Akk.

NOM

kaufen

Verb + nominative + dative

Few verbs (~ 3%) require only one complement taking the dative (dative or indirect object). These verbs should be learnt by heart.

Ich	helfe	dir.
Euer Haus	gefällt	mir.
Diese Jacke	gehört	meiner Freundin.
...		

NOM · DATIV

helfen

Also   antworten, begegnen, danken, fehlen, folgen, gelingen, glauben, gratulieren, nützen, raten, schmecken, vertrauen, widersprechen, zuhören, zuschauen

Verb + nominative + dative + accusative

Some verbs require two objects. The following rule applies:
a thing (direct object) is in the **accusative**
a person (indirect object) is in the **dative**

Verbs of giving and taking and of speaking or communicating are important verbs in this group.

NOM · DATIV

schenken

Akk.

Ich	schenke	meiner Tochter	ein Fahrrad.
Er	erzählt	seinem Kind	eine Geschichte.
Sie	bringt	ihrer Freundin	eine Tasse Tee.
...			

Also

anbieten, beantworten, beweisen, empfehlen, erklären, erlauben, geben, glauben, leihen, mitteilen, sagen, schicken, verbieten, versprechen, vorschlagen, wegnehmen, wünschen, zeigen

▶ Further exercises on the *accusative* and *dative* see page 53

Verb + nominative + nominative

The verbs *sein* and *werden* often require two complements in the nominative.

| Sie | ist | eine schöne Frau. |
| Sie | wird | Ärztin. |

▶ Exercises on *sein* and *werden* see page 18

Verb + nominative + prepositional object (dative/accusative)

Verbs with fixed prepositions always require a prepositional object. It depends entirely on the preposition whether this is in the accusative or the dative.

▶ *Verbs with prepositions* see pages 79–84

Wir	beginnen	mit dem Unterricht.
Ich	denke	gern an meine Kindheit.
Wir	freuen	uns auf die Ferien.
...		

There are also verbs which do not always require a prepositional object but are often used with a qualifier that includes a preposition.

Ich	fahre	nach Berlin.
Ich	gehe	ins Kino.
Sie	bleibt	im Haus.
...		

▶ Exercises on *Verbs with prepositions* see pages 85–90

▶ Chapter 4, exercises 1–3

4.2 Clause and sentence structure
Verb in Second position

Positions of the verb

In a main clause the verb can have two possible positions: second position or – if the verb consists of two parts – second and final position (= verbal bracket). In the latter case the conjugated part of the verb (showing the person) comes in second position.

	Second position		Final position
Heute	beginnt	der Film schon um 20 Uhr.	
Heute	fängt	der Film schon um 20 Uhr	an*.
Gestern	hat	der Film schon um 20 Uhr	begonnen.
Gestern	hat	der Film schon um 20 Uhr	angefangen*.
Heute	muss	der Film schon um 20 Uhr	beginnen.
Heute	muss	der Film schon um 20 Uhr	anfangen*.
Wann	beginnt	der Film heute?	
Wann	fängt	der Film heute	an*?

* ▶ *Separable verbs* see pages 46–47

Initial position in the clause

In written language almost any element of a sentence can be in initial position. The function of the initial position here is to form a link with the previous sentence.
Important: Many elements are particularly stressed by being placed in initial position.

In speech the following elements usually appear in initial position: nouns ①, pronouns ②, adverbs ③, expressions of time ④, expressions of place in answer to the question *where?* ⑤, qualifiers with prepositions ⑥, subordinate clauses ⑦.

	Initial position	2nd position		Final position
①	Meine Freundin	ist	heute um 6.32 Uhr	angekommen.
②	Sie	ist	heute um 6.32 Uhr	angekommen.
③	Heute	ist	meine Freundin	angekommen.
④	Um 6.32 Uhr	ist	sie	angekommen.
⑤	In München	würde	ich auch gern	studieren.
⑥	Durch meine Krankheit	bin	ich immer noch sehr	geschwächt.
⑦	Wenn du willst,	kannst	du mich auch	besuchen.

The central part of the clause

The part of the clause between the two parts of the verb (second and final position = verbal bracket) is called the *central part*. As only one element can come in initial position, all other elements come in the central part.

The main rule for the order of elements in the central part is **short before long**, i.e.

A pronouns before nouns

B order of nouns: nominative, dative, accusative, genitive

C order of pronouns: nominative, accusative, dative

D dative/accusative objects before prepositional objects

E order of qualifiers (in most cases): **te**mporal (time/when?), **ka**usal (causal/why?), **mo**dal (manner/how?), **lo**kal (place/where?) → **te-ka-mo-lo**

F known information (with definite article) comes before new information (with indefinite article)

G qualifiers are often in the middle between two objects

		2nd position		**Final position**
B	Peter	hat	heute <u>seiner Frau</u> Blumen	mitgebracht.
	nom.		dat. acc.	
B	Heute	hat	Peter <u>seiner Frau</u> Blumen	mitgebracht.
			nom. dat. acc.	
A	Er	hat	ihr heute Blumen	mitgebracht.
A + C	Heute	hat	er ihr Blumen	mitgebracht.
C	Heute	hat	er sie ihr	mitgebracht.
A	Sie	hat	sich gerade die Hände	gewaschen.
A + C	Gerade	hat	sie sich die Hände	gewaschen.
D + B	Er	hat	seiner Frau eine Bluse aus Seide	mitgebracht.
D	Gestern	hat	sie einen Brief an ihren Freund	geschrieben.
E	Gestern	bin	ich <u>um 6.32 Uhr</u> <u>in Frankfurt</u>	angekommen.
			time place	
E	Gestern	bin	ich <u>wegen des Schnees</u> <u>mit dem Zug</u>	gefahren.
			cause manner	
F	Ich	habe	<u>dem Sohn</u> meines Freundes <u>ein Buch</u>	geliehen.
			known new	
G	Ich	danke	dir herzlich <u>für die Blumen</u>.	
			obj. qualifier prep. object	
G	Bei der Kälte	muss	ich mir unbedingt <u>einen Anorak</u>	kaufen.
			subj. obj. qualifier object	

The accusative and dative objects are usually placed in the central part. They only come in initial position if they are to be stressed.

Ich möchte den Film auch gern sehen.	=	den Film accusative object, not stressed
Den Film möchte ich auch gern sehen.	=	den Film accusative object, stressed

Negation

There is a difference between negation of the whole sentence and negation of individual elements in the sentence.

Sentence negation

	2nd position		Final position
Ich	kaufe	dir dieses Buch *nicht*.	
Ich	habe	ihn *nicht*	angerufen.
Ich	habe	ihn *nicht* sofort	angerufen.
Ich	kann	*nicht* Auto	fahren.
Ich	interessiere	mich *nicht* für Technik.	
Ich	esse	*kein* Fleisch.	

Element negation

	2nd position		Final position
Nicht ich	habe	meiner Mutter einen Brief	geschrieben.
Mein Bruder war es.			
Ich	habe	*nicht meiner Mutter* einen Brief	geschrieben.
Ich habe meinem Vater geschrieben.			

Final position in the sentence

Comparative clauses can come in end-position.

	2nd position		Final position	
Der Film	ist	interessanter	gewesen,	als ich gedacht habe.
Der Film	ist	nicht so interessant	gewesen,	wie ich gedacht habe.

▶ *Comparative clauses* see page 215

Interrogative clauses with interrogative pronouns

	2nd position		Final position
Wie	heißen	Sie?	
Wann	fängt	der Film	an?

Conjunctions linking main clauses

Some conjunctions link a main clause with a subordinate clause (*als, wenn, weil ...*), others link a main clause with another main clause.

These conjunctions are placed between two main clauses or at the beginning of a new main clause. They function as a linking element, i.e. the initial position comes after the conjunction.

▶ *als, wenn, weil ...* see pages 210–217

und	listing	Ich fahre am Wochenende nach Paris *und* schaue mir den Louvre an.
sowohl ... als auch	listing	Ich schaue mir *sowohl* den Louvre, *als auch* das Centre Pompidou an.
weder ... noch	exclusion	Mich interessieren *weder* die Museen *noch* die Kirchen.
aber	reservation/ contrast	Ich fahre am Wochenende nach Paris, *aber* diesmal gehe ich in kein Museum.
zwar ... aber	reservation/ contrast	Ich liebe meine Kinder *zwar* sehr, *aber* ich bin auch gern mal einen Tag allein.
sondern	after a previous negative statement	Ich fahre nicht weg, *sondern* bleibe lieber zu Hause.
oder	alternative	Ich fahre am Wochende nach Paris, *oder* vielleicht bleibe ich auch zu Hause.
entweder ... oder	alternative	Ich fahre *entweder* nach Paris *oder* nach London.
denn	reason	Ich fahre am Wochenende nach Paris, *denn* im Frühling ist es dort sehr schön.

Adverbs used as conjunctions

Adverbs can also be used to link two main clauses. They usually come in initial position or directly after the conjugated part of the verb (third position).

deshalb, deswegen, darum, daher	reason (causal)	Mein Auto ist kaputt, *deshalb* fahre ich heute mit dem Zug zur Arbeit.
zuerst, dann, danach, schließlich, zuletzt, gleichzeitig, vorher, nachher	time	Ich frühstücke jetzt, *danach* fahre ich zur Arbeit. *Dann* ...
trotzdem, dennoch	contrary to expectation (concessive)	Ich habe ein Auto, *trotzdem* fahre ich oft mit dem Fahrrad zur Arbeit.
also	result (consecutive)	Ich bin krank, *also* bleibe ich heute zu Hause.
jedoch	reservation, contrast	Ich besuche dich morgen, *jedoch* habe ich erst am Nachmittag Zeit.

All these adverbs used as conjunctions can also come in third position, but it is better to form two separate main clauses:

Mein Auto ist kaputt. Ich fahre deshalb heute mit dem Zug zur Arbeit.

These adverbs and conjunctions can be used to link the contents of one sentence to that of another and create cross-references within a text. So these adverbs are useful for writing longer texts (essays, letters, reports ...).

Summary

	Main clause Zero position	Main clause First/third position	Subordinate clause
cause reason	denn	deshalb, deswegen, daher, darum	weil, da
time		zuerst, dann, danach, schließlich, zuletzt ...	wenn, als, seit(dem), bevor/ehe, nachdem, sobald, während, bis
conditional			wenn, falls
concession contrary to expectation		trotzdem, dennoch	obwohl
result		also	sodass, ohne dass, ohne zu
purpose			um zu + Inf., damit
contrast reservation	aber, sondern	jedoch	(an)statt dass, (an)statt zu

▶ Exercises 1–13

▶ 💿 Chapter 4, exercises 4–5

1 Put the parts of the verb in the correct position.

1. Gestern – ich – nach Frankfurt – um 8 Uhr – bin gefahren
   Gestern bin ich um 8 Uhr nach Frankfurt gefahren.
2. Wir – nächstes Jahr – eine neue Wohnung – kaufen
3. Er – immer – zu spät – kommt
4. Morgen – ich – um 6 Uhr – muss aufstehen
5. Am Sonntag – ich – wieder – wegfahren
6. Dieses Jahr – unser Sohn – nicht mit uns – in den Urlaub – möchte fahren
7. Wir – gern – noch – ein bisschen länger – bleiben
8. Nächste Woche – dich – ich – besuche

2 Complete the sentences using *und, oder, aber, denn.*

1. Sie ist Studentin, __*aber*__ zurzeit arbeitet sie als Kellnerin.
2. Ich habe Hunger _____ möchte jetzt etwas essen.
3. Ich komme später, _____ich muss heute lange arbeiten.
4. Wir besuchen Sie heute Abend _____ morgen.
5. Letztes Jahr war ich noch in der Schule, _____ jetzt studiere ich.
6. Frank kann leider nicht zur Party kommen, _____ er ist krank.
7. Sollen wir jetzt nach Hause gehen _____ sollen wir die Arbeit noch fertig machen?
8. Am Dienstag fahren wir nach Florenz _____ am Mittwoch nach Rom.

3 Give an answer. Be careful to put nouns and pronouns in the correct order. ▶ *Pronouns* see page 138

1. ▲ Hat der Kellner Ihnen auch das Menü empfohlen?
   ● Ja, er *hat es uns auch empfohlen.*
   _____

2. ▲ Haben Sie den Bewerbern die Briefe schon zugeschickt?
   ● Ja, ich _____
   _____ .

3. ▲ Hat der Nachbar den Kindern den Ball weggenommen?
   ● Ja, er _____
   _____ .

4. ▲ Hast du den Gästen schon unseren neuen Sherry angeboten?
   ● Ja, ich _____
   _____ .

5. ▲ Hat der Küchenchef den Gästen schon das Menü vorgestellt?
   ● Ja, er _____
   _____ .

6. ▲ Haben Sie Herrn Berger schon den Kaffee gebracht?
   ● Ja, ich _____
   _____ .

7. ▲ Hast du deinem Vater schon dein Zeugnis gezeigt?
   ● Ja, ich _____
   _____ .

8. ▲ Haben Sie Ihren Studenten schon den Konjunktiv erklärt?
   ● Ja, ich _____
   _____ .

4 Which elements would normally come in initial position?
There can be one (1), two (2) or a maximum of three (3) possibilities.

1. die Wälder – sehr geschädigt – in den letzten Jahren – durch sauren Regen – wurden (3)
   Die Wälder wurden in den letzten Jahren durch sauren Regen sehr geschädigt.
   In den letzten Jahren wurden die Wälder durch sauren Regen sehr geschädigt.
   Durch sauren Regen wurden die Wälder in den letzten Jahren sehr geschädigt.

2. schenkte – einen großen Blumenstrauß – ihr – zum Geburtstag – er (2)

3. ihm – zum Abschied – sie – gab – einen Kuss (2)

4. haben – wir – gekündigt – unsere Wohnung (1)

5. mache – ab morgen – eine Diät – ich (2)

6. hat – den ganzen Morgen – gelesen – Zeitung – er (2)

7. hat – uns – das Hotel – gefallen – sehr gut (1)

8. die Geschäfte – in Deutschland – um 20.00 Uhr – schließen (3)

5 Put the parts in brackets into the sentences.

1. Wir möchten Sie gern einladen. (mit Ihrer Frau – am Samstagabend – zum Essen)
   Wir möchten Sie gern am Samstagabend mit Ihrer Frau zum Essen einladen.

2. Wir gehen ins Schwimmbad. (mit den Kindern – heute Nachmittag)

3. Wir waren in Urlaub. (in den USA – mit dem Wohnmobil – letzten Sommer)

4. Ich würde gern spazieren gehen. (am Fluss – mit dir – abends)

5. Sie geht zum Tanzen. (mit ihrem neuen Freund – jeden Abend – in dieselbe Disco)

6. Ich fahre nach Berlin. (wegen der Hochzeit meines Bruders – nächsten Sonntag)

7. Ich räume die Küche auf. (heute Abend – ganz bestimmt)

8. Er hat sich erkältet. (beim Skifahren – in der Schweiz – letzte Woche)

6 Change the word order to stress the element in italics.

1. Wir möchten *darüber* lieber nicht mehr sprechen.
   Darüber möchten wir lieber nicht mehr sprechen.
2. Ich will nichts mehr *mit ihm* zu tun haben.
3. Natürlich hat *mir* wieder keiner was gesagt!
4. Ich weiß *davon* leider nichts.
5. Du kannst dich ganz bestimmt *auf mich* verlassen.
6. Niemand hat mir *das* gesagt.
7. Es ist ihm bei dem Unfall *glücklicherweise* nichts passiert.
8. Ich möchte auch gern einmal *dorthin* fahren.

7 Correct the word order in the following sentences.

1. Ich fahre mit dem Zug heute nach Hause.
   Ich fahre heute mit dem Zug nach Hause.
2. Ich habe beim Chef mich schon entschuldigt.
3. Er musste vor dem Theater lange auf mich gestern warten.
4. Ich kann nach Hause dich gern fahren.
5. Er hat das Buch ihr schon gebracht.
6. Ich habe wegen der Kälte einen warmen Anorak mir gekauft.
7. Sie hat nichts mir gesagt.
8. Wir sind in die Berge am Sonntag zum Wandern gefahren.

8 Complete the sentences using *nicht*.

1. Das ist sehr teuer.
   Das ist nicht sehr teuer.
2. Seine Bilder haben mir gut gefallen.
3. Ihre Mutter wird operiert.
4. Er hat sich an mich erinnert.
5. Ich habe das gewusst.
6. Ich kann Tennis spielen.
7. Ich bleibe hier.
8. Du sollst das machen.

9 Complete the sentences using *kein* or *nicht*.

1. Ich mag *keine* langweiligen Menschen.
2. Es ist _____ kalt hier.
3. Warum hast du _____ Hunger?
4. Sie hat _____ Glück in der Liebe.
5. Ich habe jetzt _____ Lust spazieren zu gehen.
6. Er kann leider _____ gut Englisch.
7. Ich habe _____ Stift dabei. Könntest du mir _____ kurz deinen leihen?
8. Wir suchen _____ Wohnung, sondern ein Haus.
9. Entschuldigung, sprechen Sie bitte langsamer. Ich verstehe _____ viel Deutsch.
10. Tut mir leid, ich kenne _____ guten Mechaniker, der dir bei der Reparatur helfen könnte.

10 Negate the element in italics or the complete sentence.

1. Sie sind *immer* pünktlich.
   Sie sind nicht immer pünktlich.
2. *Ich kenne sie.*
3. Wir gehen *heute* ins Konzert,
   (sondern morgen).

4. *Alle* lieben diese Sängerin.
5. *Er kann Ski fahren.*
6. Ich gehe *mit jedem* aus.
7. *Ich weiß es.*
8. Das versteht *jeder*.

11 Complete using *und* (twice), *sowohl ... als auch, weder ... noch, aber, zwar ... aber, sondern, oder, entweder ... oder, denn* (twice).

1. ▲ Könnten Sie mir bitte kurz Ihr Wörterbuch leihen, *denn* ich finde meins nicht?

2. ▲ Gehst du heute Abend mit uns ins „Papillon"?
   ● Ich komme gern mit, _____ nicht lange, _____ ich möchte heute früh ins Bett gehen.

3. ▲ Welche Opern mögen Sie lieber, die von Verdi oder Mozart?
   ● Ich liebe _____ die Opern von Verdi _____ die von Mozart. Meine Lieblingsoper ist übrigens „La Traviata".

4. ▲ Ist Tante Emma schon da?
   ● Nein, sie wollte nun doch nicht heute kommen, _____ lieber morgen.

5. ▲ Mögen Sie keinen Champagner?
   ● Doch, sehr. Ich darf _____ keinen Alkohol trinken, _____ heute mache ich mal eine Ausnahme.

6. ▲ Was machst du denn nach dem Unterricht?
   ● Ich weiß es noch nicht. _____ gehe ich nach Hause _____ mache einen Mittagsschlaf ich gehe ins Zentrum zum Einkaufen.

7. ▲ Sprechen Sie Spanisch oder Italienisch?
   ● _____ _____ , aber ich kann sehr gut Englisch und Französisch.

8. ▲ Was machen Sie heute Abend?
   ● Ich weiß es noch nicht genau. Vielleicht gehe ich ins Kino, _____ ich bleibe zu Hause sehe fern.

Make a text out of these sentences. If possible put one of the adverbs given below or another element of the sentence – but not the subject – in initial position.

Remember the rule: Initial position is taken by an element of the sentence that links that sentence with what has gone before.

> trotzdem   schließlich   gestern   deshalb
>   in diesem Moment   deswegen   sofort   leider
> daraufhin   zum Glück   aber   plötzlich
>   also   dann   vielleicht   gleich   und

1. Ich bin nach der Schule nach Hause gegangen.
2. Ich habe vor der Haustür bemerkt, dass ich meinen Schlüssel vergessen habe.
3. Unsere Nachbarin hat auch einen Schlüssel von unserer Wohnung.
4. Ich habe bei ihr geklingelt.
5. Sie war nicht zu Hause.
6. Ich habe überlegt, was ich tun kann.
7. Ich hatte eine Idee.
8. Ich rief den Schlüsselnotdienst an.
9. Der Schlüsselnotdienst kam.
10. Der Mann öffnete mir die Tür.
11. Meine Mutter kam früher von der Arbeit zurück.
12. Ich musste 280,– EUR bezahlen.
13. Ich habe das Geld umsonst bezahlt.

13 Rewrite the following sentences using the adverbs given in brackets. Some sentences have to be changed completely. Pay attention to the word order.

1. Bevor wir nach Berlin umgezogen sind, lebten wir am Land in Oberbayern. (früher / jetzt)
2. Da ich in Bayern meine Kindheit verbracht habe, liebe ich die Berge. (deshalb)
3. Obwohl das Leben in einer Großstadt wie Berlin eine große Umstellung für mich bedeutet hat, habe ich mich schnell daran gewöhnt. (trotzdem)
4. In Berlin verwenden die Leute zum Beispiel das Wort „Semmel" nicht. Sie sagen „Schrippen". (hier)
5. Vor ein paar Tagen hat mir jemand gesagt, als ich ihn mit „Grüß Gott" begrüßt habe: „Du kommst wohl aus Bayern!", weil man hier „Guten Tag" sagt. (neulich – denn)
6. So sage ich jetzt auch immer „Guten Tag", wenn ich jemanden grüße. (also)

4.3 Clause and sentence structure
Verb in Initial position

The imperative

Initial position		Final position
Komm	bitte hierher!	
Macht	doch bitte die Tür	zu!
Nehmen	Sie doch noch etwas zu essen!	

▶*The imperative* see pages 57–60

Yes/no questions

Initial position		Final position
Gehst	du heute Abend mit ins Kino?	
Könntet	ihr bitte das Fenster	öffnen?
Hören	Sie gern Musik?	

▶ Chapter 4, exercise 6

4.4 Clause and sentence structure
Verb as Final element

Rule

Subordinate clauses (SC) complement a main clause (MC) and are linked to it.

The complete verb is always the final element of a subordinate clause.

The order of the other elements of the clause is determined by the same rules as for the central part of the main clause.

▶ *The central part of the clause* see pages 198–199

Main clause

	Second position	Final position		
Ich	lerne	Deutsch,		
Ich	lerne	Deutsch,		
Ich	habe	Deutsch	gelernt,	

Subordinate clause

	Verb as final element
weil ich in Deutschland	arbeite.
weil ich in Deutschland	arbeiten möchte.
als ich in Deutschland	gearbeitet habe.

Subordinate clause

= Initial position
Als ich in Deutschland gearbeitet habe,

Main clause

Second position		Final position
habe	ich Deutsch	gelernt.

Clauses of time

Simultaneity	Non-simultaneity
als	bevor/ehe
wenn	nachdem
während	sobald
bis	
seit/seitdem	

▶ *The tenses* see pages 24–30

Simultaneity

als
Question: when?

▲ Wann hast du eigentlich in Paris gelebt?

● *Als* ich noch Student war. Weißt du das nicht mehr?

in the past: single, not repeated action

wenn
Question: when?

▲ *Wenn* ich das nächste Mal nach Paris fahre, bring' ich dir einen besonders guten Rotwein mit.

● Oh, das wäre sehr nett.

in the present and future: single action

▲ Hast du denn noch Freunde in Paris?

● Ja klar. Jedes Mal *wenn* ich nach Paris gefahren bin, habe ich sie besucht.

in the past: repeated action (usually in conjunction with ‚jedes Mal' or ‚immer')

während
Question: when?

▲ Kann ich dir irgendetwas helfen?

● Ja, das wäre sehr nett. *Während* ich das Essen warm mache, könntest du vielleicht schon den Tisch decken.

in the present, past and future: two simultaneous actions; tenses in MC and SC identical

bis
Question:
until when?
how long?

▲ Mama, darf ich mitkommen?

● Nein, du wartest im Auto, *bis* ich zurückkomme. Ich bin gleich wieder da.

time when an action ends

seit / seitdem
Question:
since when?

▲ Wie geht es Ihnen?

● Danke, gut. *Seitdem* ich nicht mehr so viel arbeite, geht es mir viel besser.

SC: beginning of a period of time

Non-simultaneity

bevor/ehe
Question: when?

▲ Also, um wie viel Uhr kommst du morgen?
● Ich weiß es noch nicht genau. Aber ich kann dich ja kurz anrufen, *bevor* ich zu Hause losfahre.

the action in the MC occurs before the action in the SC; even so, the tenses in both MC and SC are usually identical

nachdem
Question: when?

▲ Warum bist du denn gestern Abend nicht mehr zu uns gekommen?
● Ich war einfach zu müde. *Nachdem* ich den ganzen Tag am Computer gearbeitet hatte, taten mir die Augen weh, und ich wollte nur noch ins Bett.

past: past perfect (SC) + past tense (MC); in colloquial speech the perfect tense is often used instead of the past tense

▲ Kannst du dich denn schon auf Deutsch unterhalten?
● Ein bisschen. *Nachdem* ich diesen Sprachkurs beendet habe, kann ich hoffentlich genug Deutsch, um mich mit Deutschen zu unterhalten.

perfect tense (SC) + present tense (MC)

sobald
Question: when?

▲ Kommst du nicht mit uns?
● Doch, aber ich muss noch auf meine Tochter warten. *Sobald* sie da ist, kommen wir nach.

immediately afterwards: same tenses as with ,nachdem', or tenses in MC and SC identical

▶ Exercises 1–16

Clauses of reason

weil

▲ Warum kommst du denn nicht mit ins Kino?
● *Weil* ich keine Zeit habe. Ich muss noch arbeiten.

reason after the question 'why'

da

▲ Was haben Sie am Wochenende gemacht?
● Nichts Besonderes. *Da* das Wetter schlecht war, bin ich fast die ganze Zeit zu Hause geblieben und habe gelesen oder ferngesehen.

reference to something known; ,da' in initial position is stylistically better

▶ Exercises 17–21

Conditional clauses

wenn

▲ Kommst du am Samstag mit zum Europapokal-Endspiel?
● Ja gern, *wenn* es noch Karten gibt.

condition

falls

▲ *Falls* du heute Abend doch noch kommst, bring bitte eine Flasche Wein mit.
● Ja, mach' ich.

condition; not quite sure or improbable

▶ Exercises 22–25

Clauses of concession (contrary to expectation)

obwohl

▲ Er ist zur Arbeit gegangen, *obwohl* er krank ist.

something happens contrary to expectation

The same content can be expressed by means of two main clauses (linked with *trotzdem*):

▲ Er ist krank. Trotzdem geht er zur Arbeit.

▶ Exercises 26–29   ▶ see pages 189, 202–203

Clauses of purpose

damit / um … zu

▲ Musst du denn jetzt noch telefonieren?
Unser Zug fährt doch gleich!
● Ich muss schnell meine Eltern anrufen, *damit* sie uns vom Bahnhof abholen.

purpose, intention

▲ Warum bist du in Deutschland?
● *Damit* ich ein Praktikum mache.
better:
● *Um* ein Praktikum *zu* machen.

The same person is referred to in both the main and subordinate clause:

Ich bin in Deutschland, *um* ein Praktikum *zu* machen.
→ *um … zu* + infinitive

▶ Exercises 30–33

Clauses of result

sodass

▲ Du wolltest doch gestern noch schwimmen gehen?
● Ja, eigentlich schon. Aber am Abend wurde es ziemlich kalt, *sodass* ich keine Lust mehr hatte.

result

so ... dass

▲ Du wolltest doch gestern noch schwimmen gehen?
● Ja, eigentlich schon. Aber am Abend wurde es *so* kalt, *dass* ich keine Lust mehr hatte.

result (adjective is stressed)

ohne dass/
ohne ... zu

▲ Warum ist Ilse denn so traurig?
● Ihr Freund ist weggefahren, *ohne dass* er sich von ihr verabschiedet hat.
better:
● Ihr Freund ist weggefahren, *ohne* sich von ihr *zu* verabschieden.

result (negated)

▶ Exercises 34–35

Clauses of proportion

wie
Question: how?

▲ Wie war euer Urlaub in Portugal?
● Sehr schön. Alles war genau *so, wie* wir es erwartet hatten.

‚so ... wie‘; fact and expectation are the same

als

▲ Wie war denn euer Urlaub in Portugal?
● Wunderbar. Es war noch *schöner, als* wir es erwartet hatten.

comparative + ‚als‘; fact and expectation are not the same

je … desto/umso ▲ *Je schneller* ich mit dem Auto fahre, *desto mehr* Benzin verbraucht es.

subordinate clause ,je' + comparative; main clause: ,desto/umso' + comparative

Both *wie* and *als* can not only link a main with a subordinate clause but can also link words and elements of clauses with one another:

Ich bin *so* groß *wie* du.
Ich bin *größer als* du.

▶ Exercises 36–39   ▶ *Comparative* see pages 116–117

Clauses of contrast (contrary to expectation)

(an)statt … zu ▲ Kannst du mir bitte ein bisschen helfen, *anstatt dass* du den ganzen Tag nur fernsiehst?
better:
▲ Kannst du mir bitte ein bisschen helfen, *anstatt* den ganzen Tag nur fern*zu*sehen?

someone behaves in an unexpected way

▶ Exercises 40–41

▶ 💿 Chapter 4, exercises 7–11

dass – ob

Dass and *ob* have no real meaning. They only link a main clause with a subordinate clause.

Ob is only used in reply to a yes/no question.

dass

▲ Ich wusste nicht,   *dass* du heute Geburtstag hast.
    main clause   *subordinate clause*

ob

▲ Kommst du heute Abend mit ins Kino?
● Ich weiß noch nicht,   *ob* ich Zeit habe.
    main clause   *subordinate clause*

▶ Exercises 42–47

Which parts go together?
Please match.

1	2	3	4	5	6	7

1. Als ich in Deutschland war,
2. Bevor man in Deutschland studieren kann,
3. Jedes Mal wenn wir in Paris waren,
4. Seitdem sie in Italien lebt,
5. Nachdem ich eine Stunde gewartet hatte,
6. Dieser faule Typ! Während ich Ski fahre,
7. Warte hier,

a liegt er im Bett und liest.
b ist sie viel glücklicher.
c hat es nie geregnet.
d bis ich zurückkomme.
e haben wir unsere Verwandten besucht.
f ging ich schließlich nach Hause.
g muss man eine Sprachprüfung bestehen.

2 Start with the subordinate clause.

1. Ich hatte noch kein Fahrrad, als ich so alt war wie du.
   Als ich so alt war wie du, hatte ich noch kein Fahrrad.
2. Ich muss noch schnell die Wohnung aufräumen, bevor meine Eltern kommen.
3. Du könntest doch schon mit dem Geschirrspülen anfangen, während ich das Bad putze.
4. Du bist schrecklich nervös, seitdem sie angerufen haben.
5. Ich habe mir erst einmal ein Glas Wein geholt, nachdem sie angerufen hatten.
6. Ich habe nie geglaubt, dass sie mich wirklich besuchen wollen, bis ihr Anruf am Samstagabend kam.
7. Sie haben mich nie besucht, als ich in London gelebt habe.
8. Wir haben immer im selben Hotel gewohnt, wenn wir in Paris waren.

3 **On holiday in Sweden**
Complete with *als* or *wenn*.

_____ (1) wir letztes Jahr im Urlaub in Schweden waren, hatten wir großes Glück mit dem Wetter.
_____ (2) die Sonne schien, machten wir immer lange Wanderungen, und _____ (3) es regnete, blieben wir zu Hause.
Eines Tages, _____ (4) schon morgens die Sonne schien, gingen wir ohne Regenjacken los. Nachdem wir circa drei Stunden gewandert waren, bewölkte sich der Himmel immer mehr, so dass wir zurückgingen.
Wir beeilten uns sehr, aber _____ (5) wir kurz vor dem Hotel waren, fing es fürchterlich an zu regnen.
Es ist doch immer wieder dasselbe: _____ (6) wir unsere Regenjacken mitnehmen, scheint garantiert den ganzen Tag die Sonne, aber _____ (7) wir sie einmal zu Hause lassen, regnet es mit Sicherheit!
So war es auch, _____ (8) wir vor zwei Jahren in Island waren.

4 Make sentences with *als* or *wenn* (+ *immer / jedes Mal*) in the past. In some sentences both *als* and *wenn* are possible. Watch out for the difference in meaning of these sentences.

1. Kind sein – Lokomotivführer werden wollen
   Als ich ein Kind war, wollte ich Lokomotivführer werden.
2. noch kein Auto haben – viel zu Fuß gehen
3. krank sein – Mutter mir viele Bücher vorlesen
4. im Krankenhaus liegen – viel mit den anderen Kindern spielen
5. Großmutter zu Besuch kommen – uns Schokolade mitbringen
6. zur Schule gehen – nie Hausaufgaben machen wollen
7. in Urlaub sein – Vater viel mit mir spielen
8. in Italien sein – viel Eis essen

5 Make nonsense sentences with *als* or *wenn* in the past tense.

zur Schule gehen   in Urlaub sein

auf einem Baum sitzen

Auto fahren   ~~ein Kind sein~~

in der Badewanne liegen   Ski fahren

Humphrey Bogart treffen

~~Motorrad fahren~~   Klavier spielen

eine Symphonie komponieren

Zeitung lesen   Opernarien singen

auf den Händen gehen

Als ich ein Kind war, bin ich viel Motorrad gefahren.
...

6 Complete with a main clause.

1. Als ich 10 Jahre alt war, *ging ich aufs Gymnasium.* _____
2. Als meine Großmutter noch lebte, _____ .
3. Als ich noch nicht verheiratet war, _____ .
4. Als ich 18 Jahre alt war, _____ .
5. Als ich noch keinen Computer hatte, _____ .
6. Als ich zur Schule ging, _____ .
7. Als ich das erste Mal verliebt war, _____ .
8. Als ich dich noch nicht kannte, _____ .

7 Make sentences with *während*. Use *können* in the main clause.

1. Koffer packen – auf der Bank Geld wechseln
   Während ich die Koffer packe, könntest du schon auf der Bank Geld wechseln.
2. tanken – Autofenster waschen
3. Reiseproviant vorbereiten – Küche aufräumen
4. Hotel suchen – auf das Gepäck aufpassen
5. duschen – die Koffer ausräumen
6. einen Parkplatz suchen – schon ins Restaurant gehen

8 Make sentences with *während*.

What are the people doing?

1. Während der Vater _____ _____

2. _____

3. _____

9 Make sentences with *bis* or *seitdem*.

1. gut Deutsch können – noch viel lernen
   Bis ich gut Deutsch kann, muss ich noch viel lernen.
2. in Deutschland leben – Sprachschule besuchen
3. mit der Arbeit beginnen – noch Deutsch lernen müssen
4. einen neuen Lehrer haben – gar nichts mehr verstehen
5. mit diesem Buch lernen – besser die Grammatik verstehen
6. gut Deutsch können – verrückt werden
7. eine neue Wohnung haben – glücklicher sein
8. ich sie kennen – Leben viel schöner sein

4. _____

Und ich darf nicht!

10 Make short dialogues using *sobald*.

Kind		Vater	
	ins Schwimmbad gehen		Schuhe ausziehen
	Rad fahren		etwas essen
	~~mit mir spielen~~		Hände waschen
	Eis essen gehen		~~Zeitung lesen~~
	malen		Schreibtisch aufräumen
	in den Park gehen		Mittagsschlaf machen

▲ *Papa, wann spielst du denn endlich mit mir?*
● *Sobald ich die Zeitung gelesen habe.*
...

11 Fill in *als* or *nachdem*.

1. ▲ Waren Sie am Samstag in der Oper?
   ● Leider nicht, _____ wir eine Stunde an der Kasse gewartet hatten, hat der Mann vor uns die letzten zwei Karten gekauft, und wir mussten nach Hause gehen.

2. ▲ Wie alt warst du, _____ du das erste Mal ohne deine Eltern in Urlaub gefahren bist?
   ● Da war ich ungefähr 16.

3. ▲ Hallo, da seid ihr ja endlich! Warum habt ihr so lange gebraucht?
   ● Wir haben uns total verfahren. Aber _____ wir uns schließlich einen Stadtplan gekauft hatten, haben wir den richtigen Weg schnell gefunden.

4. ▲ Wie hast du dich gefühlt, _____ du endlich wieder zu Hause warst?
   ● Einfach wunderbar!

5. ▲ Wo haben Sie so gut Deutsch gelernt?
   ● Eigentlich in der Schule. Aber wirklich gut sprechen konnte ich erst, _____ ich sechs Monate in Hamburg gelebt hatte.

6. ▲ Woher kennt ihr euch eigentlich?
   ● _____ wir Kinder waren, haben wir im selben Dorf gewohnt.

12 Supply the answers.

1. ▲ Mama, wann hast du schwimmen gelernt?
   ● *Als ich 6 Jahre alt war.*

2. ▲ Mama, wann darf ich zu meinen Freunden zum Spielen gehen?
   ● Sobald …

3. ▲ Mama, wann bekomme ich endlich mehr Taschengeld?
   ● Wenn …

4. ▲ Mama, wann kommt Papa nach Hause?
   ● Sobald …

5. ▲ Mama, wann darf ich heute fernsehen?
   ● Bevor …

6. ▲ Mama, wann hilfst du mir bei den Hausaufgaben?
   ● Wenn …

7. ▲ Mama, wann hast du alle diese Bücher gelesen?
   ● Als …

8. ▲ Mama, wann spielst du endlich mit mir?
   ● Sobald …

13 Add the missing sentences.

Interview mit Herrn Weise, Musiker, 66 Jahre alt.

1. ▲ Herr Weise, wann waren Sie am glücklichsten in Ihrem Leben? (Kind sein)
   ● *Am glücklichsten war ich, als ich noch ein Kind war.*

2. ▲ Was haben Sie nach dem Abitur gemacht? (zum Militär müssen)
   ● Ja also, nachdem …

3. ▲ Und wann haben Sie dann mit dem Musikstudium begonnen? (26 Jahre alt)
   ● Als …

4. ▲ Das ist doch ungewöhnlich spät. Wie kam das? (Arzt werden wollen)
   ● Ja wissen Sie, bevor ich mit dem Musikstudium …

5. ▲ Seit wann spielen Sie überhaupt Klavier? (zur Schule gehen)
   ● Seit …

6. ▲ Und wann haben Sie Ihre Frau kennengelernt? (aus USA zurückkehren)
   ● Nachdem ich …, besuchte ich einen alten Schulfreund. Sie ist seine jüngere Schwester.

7. ▲ Waren Sie auch manchmal nervös bei Ihren Konzerten? (auf die Bühne gehen)
   ● Oh ja, jedesmal wenn …, war ich schrecklich nervös.

8. ▲ Wann haben Sie aufgehört, Konzerte zu geben? (den zweiten Herzinfarkt haben)
   ● Nachdem …

14 Complete the subordinate clauses.

1. Er fing erst an Sport zu treiben, *nachdem er mit dem Rauchen aufgehört hatte.*

2. Er aß so viel, bis …

3. Seine Freundin verließ ihn, nachdem …

4. Seine Eltern schrieben ihm einen bösen Brief, als …

5. Er wanderte drei Monate allein durch die Berge, nachdem …

6. Er drehte sich um und ging weg, sobald …

7. Sie trank noch einen Kaffee, bevor …

8. Sie wollten nicht heiraten, bis …

9. Sie weinte den ganzen Abend, nachdem …

10. Sie haben ihr Haus verkauft, als …

11. Er wollte noch einmal mit ihr sprechen, bevor …

12. Ich spiele Trompete, seit …

13. Er sah fern, während …

14. Wir haben eine Flasche Champagner aufgemacht, nachdem …

15. Du kannst bei uns bleiben, bis …

16. Ich kann nicht mehr schlafen, seitdem …

17. Wir fahren los, sobald …

18. Ich war total überrascht, als …

19. Wir machen noch eine Pause, bevor …

20. Kommst du nach, sobald …

15 Write a short story about something that happened to you last weekend. Use as many conjunctions of time as possible.

~~am Sonntag~~	schönes Wetter	alle Restaurants voll
	Auto kaputt	Ausflug …
Zug verpassen	Bahnhof	eine Stunde warten

Als ich am Sonntag aufstand, stellte ich zu meiner großen Freude fest, dass endlich die Sonne schien und der Regen aufgehört hatte. …

16 Waiting

Complete using *als* (2x), *wenn, während, nachdem, bevor, sobald, bis, seitdem*.

Seit Montag wartete er auf diesen Moment. Alles war vorbereitet. _____ (1) er noch einmal mit prüfendem Blick durch die Zimmer ging,
5 überlegte er, ob er Musik auflegen sollte. Klassische Musik vielleicht. Zum Glück bin ich mit allem rechtzeitig fertig geworden, dachte er, _____ (2) er zum wiederholten Mal an diesem Abend
10 auf die Uhr geschaut hatte. Er erwartete sie um 20 Uhr, also in fünf Minuten. Das Warten erschien ihm unerträglich. _____ (3) er unten auf der Straße ein Auto vorfahren hörte, wurde er
15 unruhig. Es blieb stehen. _____ (4) der Fahrer den Motor abgestellt hatte, hörte er laute Stimmen. Zwei oder drei Personen sprachen fast zur gleichen Zeit, sodass er nur einen Teil des
20 Dialogs verstehen konnte. „Warum hast du das nicht gesagt, _____ (5) wir losgefahren sind", sagte eine Frau ärgerlich. Und der Mann antwortete: „Das habe ich ja, aber immer
25 _____ (6) ich mit diesem Thema

beginne, läufst du weg und hörst mir nicht mehr zu". Mit diesen Worten betraten sie das Wohnhaus nebenan. Bis jetzt war er noch ruhig geblieben,
30 aber langsam wurde er nervös. Es war bereits nach 20 Uhr. Warten, warten … Wie lange musste er das noch ertragen, _____ (7) er sie endlich sehen würde. Solange er nicht wusste, wie
35 dieser Abend sich entwickeln würde, konnte er unmöglich ruhig und gelassen sein. _____ (8) das Telegramm am Montag ihre Ankunft angekündigt hatte, konnte er sich auf nichts mehr richtig
40 konzentrieren. Nur während der Arbeitszeit gelang es ihm, die Erinnerungen kurze Zeit hinter sich zu lassen, aber am Abend zu Hause dachte er nur an die alten Zeiten.
45 Wieder bog ein Auto um die Ecke und hielt vor dem Haus. Er lauschte. Einen Moment lang hoffte er, dass es jemand anderes wäre. Auf einmal hatte er Angst, Angst vor dem langersehnten Augen-
50 blick. _____ (9) er sie dann sah …

17 Link the sentences using *weil*.

1. Ich gehe jetzt nach Hause. Ich bin müde.
   Ich gehe jetzt nach Hause, weil ich müde bin.
2. Der Film hat mir nicht gefallen. Er war so brutal.
3. In dieses Restaurant gehe ich nicht mehr. Es ist zu teuer.
4. Nein danke, ich trinke keinen Wein mehr. Ich muss noch Auto fahren.
5. Ich gehe jetzt ins Bett. Ich muss morgen früh aufstehen.
6. Wir essen kein Fleisch. Es schmeckt uns nicht.

18 Make sentences.

1. ihre – Frau Bauer – weil – ist – unglücklich – weggelaufen – Katze – ist
2. freut – hat – Toni – sich – Prüfung – weil – bestanden – er – die
3. kauft ein – da – Supermarkt – dort – am billigsten – alles – im – sie – ist
4. Bett – sie – müde – weil – Anna – ins – geht – ist
5. am Wochenende – krank – weil – ich – nicht – ich – bin – mitgekommen – war
6. es – Olivenöl – weil – wir – am besten – nur – ist – nehmen – zum Kochen

20 Supply the answers.

1. ▲ Papa, warum liest du immer so lange Zeitung?
   ● Weil _____

2. ▲ Papa, warum kannst du jetzt nicht mit mir spielen?
   ● Weil _____

3. ▲ Papa, warum musst du immer so viel arbeiten?
   ● Weil _____

4. ▲ Papa, warum ist das Wasser im Meer salzig?
   ● Weil _____

5. ▲ Papa, warum fällt der Mond nicht vom Himmel runter?
   ● Weil _____

6. ▲ Papa, warum sagst du immer, dass ich still sein soll?
   ● Weil _____

19 Make sentences.

> den Menschen helfen können
> ~~schöner Beruf sein~~
> in vielen Ländern arbeiten können
> viel Neues lernen können
> abwechslungsreiche Arbeit haben
> interessanter Beruf sein
> ...

> Arzt   Lehrer   Musiker
> ~~Ärztin~~   Maler   Lehrerin
> Musikerin   Malerin   ...

Ich möchte Ärztin werden, weil das ein schöner Beruf ist.
...

21 Supply subordinate clauses with *weil/da*.

1. Ich gehe nicht auf dem Mond spazieren, *weil ich nicht Neil Armstrong bin.*

2. Sie schläft mit den Füßen auf dem Kopfkissen, _____.

3. Er wäscht seine Haare mit rohen Eiern, _____.

4. Wir sitzen im Unterricht auf Stühlen, _____.

5. _____, will ich nicht Prinz Charles heiraten.

6. Sie zieht nur rote Hosen an, _____.

7. _____, möchte ich nicht mit dir verreisen.

8. _____, will ich Cowboy werden.

22 Link the sentences.

1. Gehen Sie jetzt spazieren? Dann sollten Sie einen Regenschirm mitnehmen.
   Wenn Sie jetzt spazieren gehen, sollten Sie einen Regenschirm mitnehmen.

2. Kauft Hans sich schon wieder einen Ferrari? Dann hat er aber sehr viel Geld.

3. Streitet ihr schon wieder? Dann geht ihr sofort ins Bett.

4. Brauchst du noch Geld? Dann ruf mich einfach an.

5. Haben Sie noch etwas Zeit? Dann schreiben Sie bitte noch schnell diesen Brief.

6. Haben Sie immer noch Schmerzen? Dann nehmen Sie eine Tablette mehr pro Tag.

23 Complete the answers.

1. △ Kommst du mit ins Schwimmbad?
   ● Ja gern, wenn *ich mit der Hausaufgabe fertig bin.*

2. △ Fahren Sie nächstes Jahr im Urlaub wieder nach Brasilien?
   ● Ja, wenn … genug Geld haben

3. △ Schmeckt Ihnen bayerisches Essen?
   ● Ja, wenn … nicht so fett sein

4. △ Suchst du dir wieder einen Job als Babysitter?
   ● Ja, wenn … keine andere Arbeit finden

5. △ Mama, darf ich noch zu Anna zum Spielen gehen?
   ● Ja, wenn … nicht zu spät nach Hause kommen

6. △ Kommst du am Samstag mit zum Fußballspiel ins Olympiastadion?
   ● Ja, wenn … noch Karten bekommen

7. △ Singst du gern?
   ● Ja, besonders wenn … in der Badewanne liegen

24 Complete the sentences.

1. Wenn _du mich besuchst_ , koche ich dir etwas Gutes.

2. Falls _____ , komm doch noch zu uns.

3. Ich leihe Ihnen gern mein Auto, wenn _____ .

4. Wenn _____ , bin ich immer am glücklichsten.

5. Wir würden uns sehr freuen, wenn _____ .

6. _____ , falls ihr keine anderen Pläne habt.

7. Falls Sie nächstes Jahr wieder nach Europa kommen, _____ _____ .

8. _____ , falls du heute noch einkaufen gehst?

25 Complete the answers.

1. ▲ Gehen Sie morgen Abend mit mir ins Theater?
   ● Ja gern, falls _die Karten nicht zu teuer sind._

2. ▲ Möchten Sie etwas zu essen?
   ● Ja gern, falls …

3. ▲ Fahren wir am Wochenende in die Berge?
   ● Ja gern, wenn …

4. ▲ Möchtest du gern Chinesisch lernen?
   ● Ja, sehr gern, wenn …

5. ▲ Könntet ihr mir am Samstag beim Umzug helfen?
   ● Ja gern, falls …

6. ▲ Darf ich Sie zu einem Glas Wein einladen?
   ● Ja, sehr gern, wenn …

26 Which clauses go together? Please match.

1	2	3	4	5	6

1. Frau Mutig geht allein in den Wald,

2. Er kauft sich ein neues Fahrrad,

3. Sie geht nicht zum Arzt,

4. Sie isst nie Obst,

5. Sie haben nur eine kleine Wohnung,

6. Er geht mit seiner Frau ins Theater,

a obwohl es so gesund ist.

b obwohl er lieber ins Kino gehen würde.

c obwohl sie fünf Kinder haben.

d obwohl es schon dunkel ist.

e obwohl sie krank ist.

f obwohl sein altes noch in Ordnung ist.

27 Rewrite the sentences in exercise 26 starting each one with *obwohl*.

1. *Obwohl es schon dunkel ist, geht Frau Mutig allein in den Wald.*

…

29 Make five sentences.

Ich finde Deutschland toll,

- *weil das Bier überall gut schmeckt.*
- *obwohl es dort so kalt ist.*

…

30 Supply the answers.

1. Warum lernst du Deutsch?
   in Deutschland studieren können
   Ich lerne Deutsch, um in Deutschland studieren zu können.

2. Wozu brauchen Sie denn alle diese Werkzeuge?   Auto reparieren

3. Wozu brauchst du denn einen Computer?   damit spielen

4. Warum warst du am Wochenende schon wieder in Wien?
   Freundin besuchen

5. Warum stellst du nur immer so viele Fragen?   dich ärgern

6. Warum machst du so viele Übungen in diesem Buch?   Grammatik üben

28 Make questions.

> Fußball spielen   ~~spazieren gehen~~
> schon nach Hause gehen
> allein nach New York fliegen
> fernsehen   Auto kaufen

> schönes Wetter   gefährlich
> ~~es regnet~~   nicht spät
> kein Geld haben   es schneit

Willst du wirklich spazieren gehen, obwohl es so stark regnet?

…

31 Link the sentences using *damit* or *um … zu*.

1. Er spart sein Taschengeld. Er möchte sich ein Computerspiel kaufen.
   Er spart sein Taschengeld, um sich ein Computerspiel zu kaufen.
2. Die Firma vergrößert ihren Werbe-etat. Sie möchte den Verkauf ihrer Produkte erhöhen.
3. Die Banken erhöhen die Zinsen. Die Bürger müssen mehr sparen.
4. Die Regierung beschließt, die Staatsschulden zu verringern. Sie will die Inflation bekämpfen.
5. Die Eltern bauen ihr Haus um. Ihr Sohn kann darin eine eigene Wohnung haben.
6. Er geht ganz leise ins Schlafzimmer. Seine Frau soll nicht aufwachen.
7. Ich habe in mein Auto einen Katalysator einbauen lassen. Ich kann mit bleifreiem Benzin fahren.
8. Er lernt eine Fremdsprache. Er möchte eine bessere Arbeit finden.

32 Add subordinate clauses using *damit* or *um ... zu*.

> Frau wieder in ihrer Heimat sein ~~Deutsch lernen~~
> Praktikum machen   gutes Bier trinken   viel Geld verdienen
> Kinder hier zur Schule gehen   etwas Neues erleben

Herr Makopulos ist in Deutschland, *um Deutsch zu lernen.*
...

33 Why are you in Germany? Why would you like to go to Germany? Say why.

Ich bin in Deutschland, ...
...

34 **At Christmas**
Link the sentences using *sodass* or *so ... dass*.

An Weihnachten

1. Die Kinder waren sehr aufgeregt. Sie konnten gar nicht mehr ruhig sitzen.
   Die Kinder waren so aufgeregt, dass sie gar nicht mehr ruhig sitzen konnten.
2. Die Kinder haben gebastelt. Sie hatten für jeden in der Familie ein kleines Geschenk.
3. Die Kinder haben ihrer Mutter beim Backen geholfen. Sie konnten schon die Plätzchen probieren.
4. Der Vater hat vorher viel gearbeitet. Er konnte nach Weihnachten ein paar Tage freinehmen.
5. Die Großmutter kam zu Besuch. Sie musste die Feiertage nicht allein verbringen.
6. Der Weihnachtsbaum war groß. Sie brauchten zum Schmücken eine Leiter.

35 Link the sentences using *ohne ... zu*.

1. wegfahren – sich nicht verabschieden
   Er fuhr weg, ohne sich zu verabschieden.
2. später kommen – nicht vorher anrufen
3. jemandem weh tun – sich nicht entschuldigen
4. laute Musik hören – nicht an Nachbarn denken
5. jemanden beleidigen – es nicht merken
6. mein Fahrrad nehmen – nicht vorher fragen
7. vorbeigehen – nicht grüßen
8. aus dem Haus gehen – die Schlüssel nicht mitnehmen

36 Which clauses go together? Link them using *wie* or *als*.

1. Das Ergebnis der ~~Verhandlung~~ war ~~besser,~~
2. Am Oktoberfest wurde so viel getrunken,
3. Dieser Computer ist nicht so gut,
4. Er kocht besser,
5. Wir mussten für die Reise weniger zahlen,
6. Sie schwimmt schneller,

a ich gedacht habe.
b im Allgemeinen angenommen wird.
c ihre Konkurrenten befürchtet haben.
d ~~wir erwartet hatten.~~
e im vergangenen Jahr.
f im Prospekt stand.

Das Ergebnis der Verhandlung war besser, als wir erwartet hatten.
…

37 Supply the answers.

> wie / als ich gedacht hatte
> wie / als ich angenommen hatte
> wie / als ich geglaubt hatte
> ~~wie / als ich gehofft~~ hatte
> wie / als ich erwartet hatte
> wie / als ich vermutet hatte
> wie / als ich befürchtet hatte

1. War das Fußballspiel gut?
   Es war besser, als ich gehofft hatte.
   Es war nicht so gut, wie ich gehofft hatte.
2. Waren die Eintrittskarten schnell verkauft?
3. Ist das Buch spannend?
4. War der Film interessant?
5. Waren viele Leute bei der Veranstaltung?
6. Hast du viele Kollegen auf der Party getroffen?
7. War das japanische Essen gut?
8. War die Bergtour anstrengend?

38 Make sentences using *je … desto/umso*.

> Sport machen   wenig essen
>   Künstler berühmt werden
>   Chef nett sein   alt werden
>   ~~lange in England leben~~
> Kaffee stark sein
>   schönes Wetter sein

> häufig spazieren gehen
>   viel verdienen   gern arbeiten
>   eine gute Figur bekommen
> schlecht schlafen   tolerant werden
>   ~~gut Englisch sprechen~~
> schlecht gelaunt sein

Je länger ich in England lebe, desto besser spreche ich Englisch.
…

39 Complete the sentences.

1. Je leiser du sprichst, *desto schlechter verstehe ich dich.* _____

2. Je weniger du anderen Leuten hilfst, _____

3. Je schlechter die Wirtschaftslage ist, _____

4. Je besser das Lehrbuch ist, _____

5. Je lustiger der Lehrer ist, _____

6. Je schöner ein Mann ist, _____

40 Make sentences using *anstatt ... zu.*

mit dem Hund spielen	so lange telefonieren
zum Fenster ~~hinausschauen~~	die schöne Frau beobachten
Musik hören	eine halbe Stunde duschen

Kannst du mir bitte ein bisschen helfen, anstatt den ganzen Tag zum Fenster
hinauszuschauen?
...

41 Make sentences using *anstatt ... zu.*

mit meiner Freundin spazieren gehen	Hausaufgaben machen
Fenster putzen	Geschirr spülen ~~mit dir ausgehen~~
in den Biergarten gehen	eine Diät machen
Schokolade essen	arbeiten Klavier üben
zu ~~Hause bleiben~~	eine Prüfung machen
in der Sonne liegen ...	alte Kirchen besichtigen ...

Ich bleibe lieber zu Hause, anstatt mit dir auszugehen.
...

42 Moving to the country

Complete the sentences using the conjunctions given below.

```
da          als         als        als       als       da        sodass
     sodass      (so) ... dass          nachdem       nachdem
     obwohl            ohne       während          wie             bevor
```

_____ (1) wir vor zwanzig Jahren nach Berlin zogen, mieteten wir eine kleine, aber billige Wohnung in einem sehr alten Haus.

5 _____ (2) wir wussten, dass diese Wohnung mit unseren vier heranwachsenden Kindern bald zu klein werden würde, konnten wir uns keine andere leisten, _____ (3)

10 mein Mann zu dieser Zeit nicht viel verdiente.

_____ (4) wir mit der Renovierung begannen, besprachen wir mit unseren Kindern alles und fragten

15 sie, _____ (5) sie ihr Kinderzimmer am liebsten hätten.

Dann machten wir uns mit viel Elan an die Arbeit. _____ (6) mein Mann und ich die Wände strichen,

20 mussten die zwei größeren Kinder auf ihre kleinen Geschwister aufpassen.

_____ (7) wir mit viel Mühe und Zeit alle Zimmer renoviert hatten,

25 gefiel uns unsere Wohnung sehr gut, _____ (8) wir eine Zeit lang gar nicht mehr daran dachten umzuziehen.

Erst _____ (9) die Kinder dann

30 so groß waren, _____ (10) sie nicht mehr alle zusammen in einem Zimmer wohnen wollten, dachten wir darüber nach, eine neue Wohnung zu suchen.

35 Jedoch waren nach der Wiedervereinigung Deutschlands die Wohnungsmieten in Berlin sehr gestiegen, _____ (11) wir uns keine größere Wohnung in Berlin

40 mehr leisten konnten.

Deshalb überlegten wir, ob wir vielleicht aufs Land ziehen sollten, _____ (12) die Umgebung von Berlin sehr schön war und es dort

45 eventuell noch billigere Wohnungen gab.

_____ (13) wir uns eines Tages wieder eine Wohnung in einem Dorf anschauten, entdeckten wir

50 durch Zufall ein kleines, sehr altes Haus, das leer stand.

Wir waren alle begeistert davon, und den Kindern gefiel besonders der verwilderte, große Garten.

55 _____ (14) wir herausgefunden hatten, wem es gehörte, schrieben wir gleich einen Brief an den Besitzer und fragten, ob es zu vermieten sei.

60 Nach einer Woche erhielten wir seine Antwort. Wir waren alle ein bisschen nervös, _____ (15) mein Mann den Brief öffnete.

Aber wir hatten Glück. Die Miete war

65 nicht sehr hoch, und der Besitzer war froh, neue Mieter gefunden zu haben, _____ (16) eine Anzeige in der Zeitung aufgeben zu müssen.

43 Complete the sentences in your own words.

1. Ich suche eine neue Wohnung,
   weil die alte zu klein ist.
2. Ich habe schon viel erlebt,
   seitdem …
3. Obwohl sie noch sehr jung ist, …
4. Ich war sehr überrascht, als …
5. Wir werden dich besuchen,
   sobald …
6. Da ich kein Geld bei mir hatte, …
7. Warum warten Sie nicht, bis …
8. Nachdem der Zug angekommen
   war, …
9. Ich weiß nicht, ob …
10. Könntest du nicht ein bisschen
    mehr lernen, anstatt …
11. Es hat so geschneit, dass …
12. Nehmen Sie eine von diesen
    Tabletten, wenn …
13. Gehen Sie nicht weg, bevor …
14. Das Buch ist nicht so interessant,
    wie …
15. Ich werde es Ihnen erklären, falls …
16. Ich hätte gern Ihre Adresse, damit …
17. Anstatt sein Geld zu sparen, …
18. Je mehr ich schlafe, desto …
19. Es geht mir viel besser, seit …
20. Während ich putze, …
21. Ich möchte jetzt nichts essen, weil …
22. Falls mein Chef anruft, …
23. Obwohl er krank war, …
24. Können Sie mir bitte sagen, ob …
25. Nimm nie mehr mein Auto, ohne …
26. Diese Übung ist leichter, als …

44 Complete the sentences with the appropriate conjunctions.

Meine Großmutter erzählte uns Kindern Geschichten, …

1. _____ wir noch klein waren.
2. _____ uns zu unterhalten.
3. _____ wir Zähne geputzt
   hatten und im Bett lagen.
4. nie _____ etwas Neues zu
   erfinden.
5. _____ das Wetter schlecht
   war und wir nicht draußen spielen
   konnten.
6. _____ wir uns nicht
   langweilten.
7. _____ uns das so gut gefiel.
8. _____ sie immer viel Arbeit
   hatte.
9. _____ sie Essen kochte.
10. _____ wir abends ins Bett
    gingen.

45 Supply a suitable subordinate clause.

1. Er kam nicht zum Unterricht, …
   … weil er den Zug verpasst hatte.
   … obwohl er es mir versprochen hatte.
2. Mein Vater gibt mir nicht mehr
   Geld, …
3. Er ging weg, …
4. Ich habe meine Arbeitsstelle
   gekündigt, …
5. Morgen kommt meine Freundin, …
6. Sie erkundigte sich nach einem Flug
   in die Türkei, …
7. Die Arbeiter haben den Streik
   beendet, …
8. Österreich gefällt mir sehr, …

46 Invent a story using the conjunctions given below. You have to use all the conjunctions but not necessarily in the order in which they are given.

| als | obwohl | damit | ohne ... zu | nachdem | weil | wenn |
| um ... zu | da | während | sobald | bevor | ob | dass |

47 Complete the crossword puzzle.
Use capital letters only (Ä = AE).

1. Ich bin heute sehr müde, _____ ich letzte Nacht zu wenig geschlafen habe.
2. Kommen Sie mich doch mal besuchen, _____ Sie Zeit haben!
3. _____ ich einen Mittagsschlaf gemacht habe, ist er spazieren gegangen.
4. _____ sie reich sind, leben sie sehr bescheiden.
5. Warte bitte hier, _____ ich fertig bin.
6. _____ sie weggefahren war, war er sehr traurig.
7. Er ging weg, _____ sich noch einmal umzudrehen.

Index

1.1 Basic Verbs

Exercise 1

2. waren	8. haben
3. hattest	9. sind
4. wart	10. warst
5. haben	11. hattet
6. ist	12. war
7. war	

Exercise 2

2. bist	7. seid
3. bin, werde	8. ist
4. hat	9. werde
5. hast	10. Haben
6. werden	

Exercise 3

2. warst, hatte
3. war, hatten
4. ist … geworden
5. wart, hatten
6. war, Hattet, wurde, wurde

Exercise 4

2. Hier kann man telefonieren.
3. Hier darf man nicht überholen.
4. Hier muss man leise sein.
5. Hier darf man nicht parken.
6. Hier kann man Information bekommen.
7. Hier darf man nicht Motorrad fahren.
8. Hier kann/darf man parken.

Exercise 5

1. musst	5. soll
2. soll	6. muss
3. muss	7. sollen, muss
4. sollen	

Exercise 6

1. darf	5. können
2. Kannst	6. könnt
3. darf	7. dürfen
4. Darf	8. kann

Exercise 7

2. konnte	5. Darf
3. sollen	6. musst
4. wollten	

Exercise 8

2. muss/musste	9. darf/durfte
3. sollt/solltet	10. können/konnten
4. will/wollte	11. muss/musste
5. möchten/wollten	12. sollst/solltest
6. darf/durfte	13. will/wollte
7. kannst/konntest	14. möchte/wollte
8. müssen/mussten	

Exercise 9

2. Der Patient musste viel spazieren gehen.
3. Sie durfte gestern Abend nicht ins Kino gehen.
4. Er konnte den Bericht gestern nicht mehr beenden.
5. Sie wollten nicht mitkommen.
6. Wir mussten das noch schnell fertig machen.
7. Aber du solltest doch die Karten kaufen!
8. Er konnte mir nicht helfen.

Exercise 10

1. mussten
2. mussten, durften, mussten
3. konnten
4. mussten
5. musste
6. mussten
7. durften
8. mussten

Exercise 11

1. kannst, muss, können
2. Können, will/möchte
3. darfst, darf, muss
4. Kann/Darf, möchte
5. müssen, können
6. können, möchte

Exercise 12

1. braucht	4. brauchst
2. lasst	5. hat … lassen
3. habe … gelassen	6. brauchen

Exercise 13

1. brauchen	4. brauche
2. lassen	5. lassen
3. lässt	6. brauche

Exercise 14

2. **g** solltest, lassen
3. **i** lass
4. **b** brauchen, können
5. **e** will/möchte, werden
6. **j** wird/ist
7. **f** brauchen
8. **d** werde
9. **a** werde
10. **h** kann

1.2 The Tenses

Exercise 1

2. schreibt
3. telefoniert
4. badest
5. machen
6. fragt
7. spiele
8. liebst
9. studieren
10. schlafen

Exercise 2

2. wartet
3. finde
4. fährst
5. weiß
6. kommen
7. grüßt
8. heiratet
9. heißt
10. Gibst

Exercise 3

1. sprechen/können, geht
2. ist, fährt, bringe/fahre, ist
3. heiße, heißt, kommst, bist/lebst
4. hilfst, weißt, weiß, fragst, sagt

Exercise 4

across
1. ANTWORTEST
2. BIST
3. MAGST
4. TRINKEN
5. DENKE
6. TREFFEN

down
7. WARTET
8. PASST
9. MACHT
10. ARBEITE
11. DARF
12. FINDEST

Exercise 5

2. Wohin fährst du?
3. Wem hilfst du gern?
4. Wie lange wartest du hier schon?
5. Warum vergisst du das immer wieder?
6. Warum antwortest du nicht?
7. Warum nimmst du mir die Zeitung weg?
8. Weißt du den Namen?
9. Warum wirst du gleich so böse?
10. Welches Buch liest du gerade?
11. Bist du heute Abend zu Hause?
12. Wen lädst du sonst noch ein?

Exercise 6

1. ausgemacht
2. gewesen
3. gegessen
4. angekommen
5. geschrieben
6. gesagt
7. angerufen
8. empfohlen

Exercise 7

1. ge_____en: gelaufen, geschlossen, gesungen, geliehen
2. ge_____t: geschenkt, gesagt, gesucht, geholt, gekauft, gewohnt
3. _____en: vergessen, geschehen, verstanden, empfohlen, entschieden, gefallen
4. _____t: erzählt, bezahlt, probiert, studiert

Exercise 8

1. habe
2. haben, bin
3. Habt, hat, haben
4. bist, bin, bin, habe
5. Sind, haben
6. sind, haben

Exercise 9

2. Ich habe gemütlich gefrühstückt.
3. Ich habe in Ruhe Zeitung gelesen.
4. Ich habe einen Brief geschrieben.
5. Ich habe einen Mittagsschlaf gemacht.
6. Ich bin spazieren gegangen.
7. Ich bin zum Abendessen mit Freunden ins Restaurant gegangen.
8. Ich habe einen Film im Fernsehen gesehen.

Exercise 10

3. Sind Sie heute mit dem Auto gefahren?
4. Haben Sie heute etwas Schönes gemacht?
5. Haben Sie heute Zeitung gelesen?
6. Haben Sie heute Radio gehört?
7. Haben Sie heute jemandem geholfen?
8. Sind Sie heute spazieren gegangen?
9. Haben Sie heute Essen gekocht?
10. Sind Sie heute geschwommen?
11. Haben Sie heute eine Liebeserklärung gemacht?
12. Sind Sie heute Fahrrad gefahren?

Exercise 11

2. fließen	14. beginnen
3. scheinen	15. abbrechen
4. hängen	16. gelingen
5. treffen	17. heben
6. raten	18. schweigen
7. liegen	19. vergleichen
8. wissen	20. stehlen
9. kennen	21. wiegen
10. schneiden	22. sterben
11. wegnehmen	23. fangen
12. streiten	24. überweisen
13. steigen	25. verzeihen

Exercise 12

2. hat … begonnen
3. hat … geheißen, gesehen haben
4. hat … gelitten
5. hat … gewonnen
6. hast … gefunden
7. hast … getrunken
8. bin/habe … gesessen
9. ist … gestorben
10. ist … geworden
11. haben … angerufen

Exercise 13

2. fragtest	11. zahlten
3. stellte	12. kauftet
4. liebte	13. holten
5. arbeitete	14. legten
6. wartetet	15. reiste
7. redeten	16. hängte/hing
8. hofften	17. grüßtest
9. lachtest	18. kochten
10. regnete	

Exercise 14

3. er blieb *(m. V.)*
4. er stellte *(o. V.)*
5. er stand *(m. V.)*
6. er hing/hängte *(m./o. V.)*
7. er machte *(o. V.)*
8. er wusste *(m. V.)*
9. er nannte *(m. V.)*
10. er zählte *(o. V.)*
11. er erschrak/erschreckte *(m./o. V.)*
12. er hob *(m. V.)*

Exercise 15

2. brachte	8. lief
3. verband	9. kam
4. zog sich um	10. schrie
5. fraß	11. trieb
6. hielt	12. verzieh
7. lud … ein	

Exercise 16

2. vergleichen	7. betrügen
3. riechen	8. nehmen
4. senden	9. schweigen
5. zwingen	10. frieren
6. werfen	

Exercise 17

2. suchte	9. duschte
3. kannte	10. ging
4. ging	11. aß
5. empfahl	12. hatte
6. nahm	13. war
7. fuhr	14. ging
8. packte … aus	

Exercise 18

2. Weil ich den Schlüssel nicht mitgenommen hatte.
3. Weil meine Eltern es verboten hatten.
4. Weil der Chef mich darum gebeten hatte.
5. Weil die Geschäfte schon geschlossen hatten.
6. Weil ich plötzlich müde geworden war.

Exercise 19

2. eingepackt hatten
3. hatte … gespült
4. hatte … eingeladen
5. hatte … aufgehört, war … geworden
6. waren … heimgegangen
7. hatte … beendet
8. vergessen hatte

Exercise 20

2. Stehst du immer um 7.00 Uhr auf? – Normalerweise ja, aber heute bin ich um 8.30 Uhr aufgestanden.
3. Fängst du immer um 8.30 Uhr mit der Arbeit an? – Normalerweise ja, aber heute habe ich um 10.00 Uhr angefangen.

4. Isst du immer mittags im Café? – Normalerweise ja, aber heute habe ich ein Sandwich im Büro gegessen.
5. Fährst du immer um 17.00 Uhr nach Hause? – Normalerweise ja, aber heute bin ich um 19.00 Uhr gefahren.
6. Kaufst du immer auf dem Rückweg vom Büro ein? – Normalerweise ja, aber heute bin ich direkt nach Hause gefahren.
7. Triffst du immer abends Freunde? – Normalerweise ja, aber heute bin ich allein zu Hause geblieben.
8. Gehst du immer um 23.00 Uhr ins Bett? – Normalerweise ja, aber heute bin ich um 22.00 Uhr ins Bett gegangen.

Exercise 21

Lines 1–10:
war, wusch, zog … an, ging … spazieren, war, traf, grüßte, war, antwortete, sagte, machst, gehe spazieren, sagte, lachte, ärgerte, sagte, Glaubst

Lines 11–21:
kannst, antwortete, schlug … vor, ist, rief, können, bekommt, fangen … an, sagte, muss, bin, ankam, rief, sagte, habe … gewettet, kann

Lines 22–30:
bist, sagte, machen, läuft, laufe, fangen … an, ankommt, rufst, bin, ging, Fangen … an, zählte

Lines 31–42:
rannte, machte, blieb, ankam, rief, bin, war, rief, rannte, ankam, rief, bin, schrie, rannte, lief, hörte, bin, blieb, nahm, rief, gingen, gestorben sind, leben

Exercise 22

1. geschlafen habe
2. gesehen hatte
3. war … abgefahren
4. habe … gegessen
5. Haben … abgeschickt
6. hatten … vorbereitet

Exercise 23

2. Gehst du heute Abend mit mir ins Kino?
3. Wie lange machst du im Sommer Urlaub?
4. Wann besuchen Sie mich?
5. Gehen wir morgen spazieren?

6. Gehen wir am Sonntag schwimmen?
7. Fliegen Sie nächstes Jahr wieder in die USA?
8. Gehen wir nach der Arbeit noch ins Café?

1.4 Separable and Inseparable Verbs

Exercise 1

2. Sie zieht das Baby an.
3. Sie gibt die Tochter im Kindergarten ab.
4. Sie kauft Lebensmittel ein.
5. Sie bringt Brot mit.
6. Sie macht die Waschmaschine an.
7. Sie holt die Tochter vom Kindergarten ab.

Exercise 2

2. Sie hat das Baby angezogen.
3. Sie hat die Tochter im Kindergarten abgegeben.
4. Sie hat Lebensmittel eingekauft.
5. Sie hat Brot mitgebracht.
6. Sie hat die Waschmaschine angemacht.
7. Sie hat die Tochter vom Kindergarten abgeholt.

Exercise 3

separable: er schaut … zurück, er geht … weg, er arbeitet … mit, er fällt … aus, er stellt … vor, er läuft … weg, er gibt … zurück, er fliegt … ab, er schließt … ein

unseparable: er erlaubt, er bezahlt, er bestellt, er missversteht, er entschuldigt, er versucht, er vergleicht, er gehört

Exercise 4

Sample solution:
2. Der Kellner empfiehlt ein Getränk.
3. Deine Freundin kommt bald aus ihrem Urlaub zurück.
4. Hier gibst du deine Tasche ab.
5. Das versteht sie nicht.
6. Er steht jeden Tag um 5 Uhr auf.
7. Ich rufe dich morgen an.
8. Meine Eltern erlauben mir das.
9. Ich entscheide mich für das blaue Kleid.
10. Morgen fahren wir schon sehr früh weg.

Exercise 5

Sample solution:

2. Empfiehlt der Kellner ein Getränk?
3. Kommt deine Freundin bald aus ihrem Urlaub zurück?
4. Gibst du hier deine Tasche ab?
5. Versteht sie das nicht?
6. Steht er jeden Tag um 5 Uhr auf?
7. Rufe ich dich morgen an?
8. Erlauben meine Eltern mir das?
9. Entscheide ich mich für das blaue Kleid?
10. Fahren wir morgen schon sehr früh weg?

Exercise 6

2. Der Arzt hat mir das Rauchen verboten.
3. Wann bist du heute aufgestanden?
4. Habt ihr die unregelmäßigen Verben wiederholt?
5. Sie hat ihr ganzes Geld im Schlafzimmer versteckt.
6. Warum hast du dich noch nicht umgezogen?
7. Nach zwei Stunden hat der Direktor die Diskussion beendet.
8. Meine kleine Tochter hat leider dieses schöne Glas zerbrochen.
9. Papa hat noch nicht angerufen.
10. Wann hat der Film angefangen?

Exercise 7

3. Bitte beginnen Sie doch schon mit dem Essen.
4. Wer von euch räumt mit mir nachher die Wohnung auf?
5. Bestell dir doch eine Pizza beim Pizza-Service.
6. Warum rufst du sie nicht an?
7. Er erzählt immer so lustige Geschichten.
8. Sie entscheidet sich immer erst in letzter Minute.

1.5 Reflexive Verbs

Exercise 1

2.	sich	8.	sich
3.	mich	9.	uns
4.	uns	10.	mich
5.	euch	11.	dich
6.	sich	12.	euch
7.	dich		

Exercise 2

2.	dir	6.	euch
3.	mir	7.	dir
4.	dir	8.	mir
5.	uns		

Exercise 3

1.	dir	4.	mir, dir
2.	mir	5.	mich, sich
3.	dich, mir	6.	sich

1.6 The Infinitive

Exercise 1

1.	–	8.	–
2.	zu	9.	–
3.	zu	10.	zu
4.	–	11.	zu
5.	–	12.	–
6.	–	13.	zu
7.	zu	14.	–

Exercise 2

2. Wir haben nächste Woche Zeit, unsere Freunde zu besuchen.
3. Er will nicht mitkommen.
4. Wir hoffen, ihn noch dazu zu überreden.
5. Leider hat er fast nie Lust zu reisen.
6. Er würde am liebsten immer zu Hause bleiben.
7. Aber wir gehen gern in Paris Kleidung einkaufen.
8. Ich höre das Baby weinen.

Exercise 3

Sample solution:

2. Ich habe heute keine Lust, mein Zimmer aufzuräumen.
3. Es macht mir Spaß, mit dir einkaufen zu gehen.
4. Ich gebe mir viel Mühe, keine Fehler zu machen.
5. Wir haben beschlossen, morgen zusammen einen Ausflug zu machen.
6. Ich freue mich darauf, dich bald wiederzusehen.

1.7 The Imperative

Exercise 1
2. Sei/Seid leise!
3. Schließ/Schließt das Fenster!
4. Schreib/Schreibt die Regel auf!
5. Sprich/Sprecht laut!
6. Komm/Kommt an die Tafel!
7. Mach/Macht die Übungen auf der CD-ROM!
8. Öffne/Öffnet das Buch!

Exercise 2

1. Komm	6. Gib
2. Habt	7. Sei
3. Seid	8. Vergesst
4. Sprich	9. Nimm
5. Öffnet	10. Antworte

Exercise 3

1. Mach … zu	6. Komm … mit
2. Pass … auf	7. Räum … auf
3. Schlaf … ein	8. Lad … ein
4. Fang … an	9. Hol … ab
5. Trockne … ab	10. Nimm … mit

Exercise 4

1. Beeilt euch	4. Freut euch
2. Erkundigen Sie sich	5. Bemühen Sie sich
3. Entscheide dich	6. Beklag dich

Exercise 5
2. Leg dich/Legt euch nie lange ohne Sonnenschutz in die Sonne!
3. Nimm/Nehmt nicht viel Geld mit an den Strand!
4. Vergiss deine/Vergesst eure Arbeit!
5. Schlaf/Schlaft viel!
6. Erhol dich/Erholt euch gut!

1.8 The Passive

Exercise 1

2. wurden	6. wurde
3. bin … worden	7. werde
4. wird	8. wurde
5. werdet	9. ist … worden

Exercise 2
2. Die Flüsse werden durch Chemikalien vergiftet.
3. Die Landschaft wird mit Häusern vollgebaut.
4. Es wird zu viel Müll produziert.
5. Die Wälder werden zerstört.
6. Die Rohstoffe werden verschwendet.

Exercise 3
2. Die Flüsse sollen nicht noch mehr durch Chemikalien vergiftet werden.
3. Die Landschaft soll nicht noch mehr mit Häusern vollgebaut werden.
4. Es soll nicht noch mehr Müll produziert werden.
5. Die Wälder sollen nicht noch mehr zerstört werden.
6. Die Rohstoffe sollen nicht noch mehr verschwendet werden.

Exercise 4
2. Die Fehler mussten korrigiert werden.
3. Die Rechnung musste bezahlt werden.
4. Meine Großeltern mussten abgeholt werden.
5. Der Fahrradfahrer musste ins Krankenhaus gebracht werden.
6. Mein Fernsehapparat musste repariert werden.
7. Die Papiere mussten geordnet werden.
8. Das ganze Geschirr musste gespült werden.

Exercise 5
war … verletzt worden, eingeliefert werden musste, wurde … untersucht, [wurde] festgestellt, operiert werden muss, behandelt worden war, konnte … entlassen werden, wurde … versorgt

Exercise 6
2. Hier darf nicht fotografiert werden.
3. Hier darf nicht gebadet werden.
4. Hier muss der Motor abgeschaltet werden.
5. Hier muss gestoppt/angehalten werden.
6. Hier darf geraucht werden.

Exercise 7
2. … hier nicht fotografiert werden darf.
3. … hier nicht gebadet werden darf.
4. … hier der Motor abgestellt werden muss.
5. … hier gestoppt/angehalten werden muss.
6. … hier geraucht werden darf.

Exercise 8

2. … den Kindern Kriegsspielzeug geschenkt wird.
3. … in Deutschland kein Tempolimit auf den Autobahnen eingeführt wird.
4. … die Kinder nicht zu mehr Toleranz erzogen werden.
5. … die Rechte der Minderheiten nicht geachtet werden.
6. … bei Smog das Auto nicht zu Hause gelassen werden muss.

Exercise 9

1. von
2. Durch
3. von
4. durch
5. von
6. durch

Exercise 10

2. Bei einem Sturm sind 4 Autos von umgefallenen Bäumen beschädigt worden.
3. Ein Ferrari ist nachts im Zentrum gestohlen worden.
4. Das neue Schwimmbad ist vom Bürgermeister eröffnet worden.
5. Die Bank in der Kantstraße ist überfallen worden.
6. Das entführte Kind ist gefunden worden.

1.9 The Subjuntive II

Exercise 1

2. konnte, könnte
3. musstet, müsstet
4. sollten, sollten *(!)*
5. wurde, würde
6. durften, dürften
7. wollte, wollte *(!)*
8. waren, wären
9. mochte, möchte
10. ging, ginge
11. gab, gäbe
12. brauchtest, brauchtest (bräuchtest)
13. wussten, wüssten
14. kam, käme

Exercise 2

2. Dürfte ich mir Ihren Bleistift leihen?
3. Würden/Könnten Sie bitte einen Moment meinen Mantel halten?

4. Würden/Könnten Sie mir sagen, wie ich zum Bahnhof komme?
5. Könnte ich Sie schnell etwas fragen?
6. Würden/Könnten Sie mir ein Glas Wasser geben?
7. Würdest/Könntest du bitte das Fenster zumachen?
8. Dürfte ich Sie bitten, das Radio leiser zu stellen?

Exercise 3

Ich hätte eine große Bitte. Sie wissen doch, ich bin im Juli und August in Berlin. Ich möchte dort einen Sprachkurs besuchen. Leider weiß ich noch nicht, an welcher Schule, und ich habe noch keine Wohnmöglichkeit. Würden Sie mir helfen?

Vielleicht könnten Sie mal Ihre Freunde und Bekannten fragen, ob jemand in dieser Zeit ein Zimmer vermietet. Und würden Sie bitte an einigen Sprachschulen in Berlin nach den Preisen und Kursdaten fragen? Könnten Sie mir vielleicht vorher einige Prospekte schicken? Dann könnte ich mich nämlich rechtzeitig an einer Schule anmelden.

Dürfte ich Sie zum Schluss noch um einen anderen Gefallen bitten? Sie wissen ja, ich war noch nie in Berlin und komme mit viel Gepäck. Würden Sie mich bitte am Flughafen abholen? Dafür koche ich für Sie in Berlin ein typisch brasilianisches Essen.

Vielen Dank für Ihre Hilfe. Ich freue mich auf unser Wiedersehen in Deutschland.

Viele Grüße

Exercise 4

1. Ich wäre froh, wenn ich so gut Deutsch sprechen könnte wie du.
2. Ich wäre froh, wenn ich eine so große Wohnung hätte wie ihr.
3. Ich wäre froh, wenn ich Goethe auf Deutsch lesen könnte.
4. Ich wäre froh, wenn ich jedes Jahr drei Monate Urlaub machen könnte.
5. Ich wäre froh, wenn ich länger bleiben dürfte.
6. Ich wäre froh, wenn ich zu Fuß zur Arbeit gehen könnte.
7. Ich wäre froh, wenn ich nicht jeden Tag mit dem Auto fahren müsste.
8. Ich wäre froh, wenn ich mehr Geduld hätte.

Exercise 5

2. …, wenn sie mehr Geduld hätten.
3. …, wenn du mich in Ruhe ließest/lassen würdest.
4. …, wenn er mit mir mehr Abende verbringen würde.
5. …, wenn ich nicht so viel arbeiten müsste.
6. …, wenn du abends früher nach Hause kämest/kommen würdest.
7. …, wenn wir häufiger ins Theater gingen/ gehen würden.

Exercise 6

2. hätte … getan
3. wären … mitgekommen
4. hätte(n) … besucht
5. hättet … gefunden
6. wären … geflogen
7. wäre … spazieren gegangen
8. hätte … erzählt

Exercise 7

1. d
2. c
3. e
4. a
5. b

Exercise 8

könnte … schlafen, würde … spielen, brauchte (bräuchte), hätte, würde … fahren, müsste, hätte, dürfte, wäre, dürfte, müsste, wäre

Exercise 9

Sample solution:

1. Wenn ich im Lotto gewinnen würde, würde ich mir ein großes Haus kaufen.
2. Wenn ich als Kind bei den Eskimos gelebt hätte, würde ich im Winter hier nie mehr frieren.
3. Wenn Hunde sprechen könnten, könnten die Menschen sie besser verstehen.
4. Wenn ich die Königin von England wäre, hätte ich ein tolles Leben.
5. Wenn ich nicht so faul wäre, würde ich viele Sprachen lernen.
6. Wenn ich im letzten Jahrhundert geboren wäre, wäre ich Hippie geworden.

Exercise 10

Sample solution:

Ich würde nach Berlin fahren. Dort würde ich dann den Reichstag besichtigen, den ganzen Tag in der Stadt herumlaufen, mit der Linie 100 eine Stadtrundfahrt machen, viele internationale Gerichte essen, abends ins Theater gehen …

Exercise 11

2. …, aber er würde gern mehr verdienen.
3. …, aber er würde gern in Hamburg wohnen.
4. …, aber er würde gern lange schlafen.
5. …, aber er hätte gern einen Ferrari.
6. …, aber er würde gern in einer großen Firma arbeiten.

Exercise 12

Sample solution:

1. Wenn ich doch ein bisschen früher losgegangen wäre!
   Wäre ich doch ein bisschen früher losgegangen!
2. Wenn ich doch vorher zum Friseur gegangen wäre!
   Wäre ich doch vorher zum Friseur gegangen!
3. Wenn ich doch ein Wörterbuch dabei hätte!
   Hätte ich doch ein Wörterbuch dabei!
4. Wenn ich doch mein Handy mitgenommen hätte!
   Hätte ich doch mein Handy mitgenommen!

Exercise 13

2. Hätte ich doch nie geheiratet!
3. Hätte ich doch ein besseres Hotel gebucht!
4. Hätte ich mich doch wärmer angezogen!
5. Wäre ich doch früher aufgestanden!
6. Hätte ich doch einen Regenschirm mitgenommen!

Exercise 14

Sample solution:

2. Vielleicht solltest du ein bisschen Schmuck tragen.
3. Du könntest doch mal einen Minirock anziehen.
4. An deiner Stelle würde ich lebendige Farben tragen.
5. Außerdem solltest du modische Schuhe anziehen.
6. Du könntest doch auch ein bisschen Make-up benutzen.

Exercise 15
open exercise

Exercise 16
open exercise

Exercise 17
2. Aber er tut so, als ob er kochen könnte.
3. Aber er tut so, als ob er mutig/nicht ängstlich wäre.
4. Aber er tut so, als ob er besonders/sehr intelligent wäre.
5. Aber er tut so, als ob er (sehr/immer) höflich wäre.
6. Aber er tut so, als ob er viele Freunde hätte.

Exercise 18
2. ..., als ob du die ganze Nacht nicht geschlafen hättest.
3. ..., als ob wir die Grammatik wiederholen müssten.
4. ..., als ob sie abgenommen hätte.
5. ..., als ob sie krank wäre.
6. ..., als ob du müde wärest.

Exercise 19
2. Hätten, würde
3. wäre, würden
4. wäre
5. hätte, Würden
6. hättest, hätte
7. wäre
8. Würdet

Exercise 20
1. hätte
2. würde
3. hast
4. Hätte
5. hätten/hätte
6. wäre, würden
7. wäre, hätte
8. ist
9. würdest, wärest
10. hätte

Exercise 21
1. d
2. e
3. g
4. f
5. c
6. h
7. a
8. b

1.11 Verbs with Prepositions

Exercise 1
1. d
2. a
3. e
4. b
5. f
6. c

Exercise 2
1. Ich habe gestern einen Brief an meine Eltern geschrieben.
2. Anna hat an einem Skikurs teilgenommen.
3. Sie sorgt sehr gut für ihre Kinder.
4. Er hat heute mit Fußball angefangen.
5. Sie träumt von einem gut aussehenden Mann.
6. Er hat sich sehr über seine Freundin geärgert.

Exercise 3
1. mit dem, auf, zum, über
2. über, an die

Exercise 4
1. nach
2. dazu
3. an
4. mit
5. darauf
6. an
7. für
8. Wovon
9. daran
10. aus

Exercise 5
1. um
2. auf
3. um
4. gegen
5. vor *(gegen + Akk. = gegen eine Erkältung)*
6. über
7. mit
8. bei, für

Exercise 6
Sample solution:
2. Über meinen Sohn.
3. Mit einem tollen Mann.
4. An meinem Gefühl.
5. Von anderen Menschen.
6. Über die Schule.
7. Über das Leben.
8. Mit meinem Mann.

Exercise 7
1. über *(= present/past)*, auf *(= future)*
2. bei *(= person)*, für *(= thing)*
3. an *(= illness)*, unter *(= everything else)*
4. über *(= topic)*, um *(= thing)*
5. mit *(= person)*, über *(= topic)*
6. über *(= opinion)*, an *(= person, topic)*

Exercise 8
2. Auf
3. Worüber/Worum
4. An wen
5. Mit wem
6. Worauf
7. Worüber
8. Wovon
9. Wofür
10. Wofür

Exercise 9
1. … auf, zu
2. über, mit, über, davon
3. Worüber, an, in, an
4. Worauf, Auf, Darauf
5. Wovon, an, dazu, unter
6. daran, bei, für, Dafür, darüber, über, darüber

Exercise 10
1. an
2. an
3. Dafür
4. bei
5. bei
6. darum
7. um
8. für
9. mit
10. zum
11. mit
12. an
13. darüber
14. darüber
15. davon
16. an

Exercise 11
1. Worüber, darüber
2. Worüber, darüber
3. Worüber, darüber
4. Worüber, darüber
5. Wofür, dafür
6. Worüber, darüber

Exercise 12
2. An wen schreibst du?
3. Worüber diskutiert ihr?
4. Woran gewöhnst du dich nicht?
5. Worüber denkst du nach?
6. Wofür entschuldigst du dich?
7. An wen denkst du?
8. Wovon hast du geträumt?
9. Auf wen kannst du dich verlassen?
10. Worauf wartest du?

Exercise 13

1. daran, über
2. bei, deinem neuen, danach, an welchem
3. auf meine
4. darauf, um unsere neuen
5. daran, nach
6. vom
7. mit deinem, über deine
8. auf die
9. darüber, in einen anderen
10. von Ihrem letzten

Exercise 14
1. HAETTEST
2. BRAUCHEN
3. KONNTE
4. MIR
5. AUF
6. WARST
7. MACHEN
8. LASS
9. AN
10. NACH

Solution: THOMAS MANN

2.1 Noun Declension

Exercise 1
der Student, Juni, Montag, Herbst, Doktor, Lehrer, Tourist, Arzt
die Sehenswürdigkeit, Information, Bäckerei, Ordnung, Kleidung, Sendung, Sicherheit, Polizei, Heizung, Tasche, Gesundheit, Reparatur
das Hähnchen, Mädchen, Brötchen, Kindlein, Auge

Exercise 2
2. das Zeugnis, die Zeugnisse
3. die Studentin, die Studentinnen
4. der Anzug, die Anzüge
5. der Einwohner, die Einwohner
6. die Firma, die Firmen
7. das Schloss, die Schlösser
8. der Anfang, die Anfänge
9. die Tür, die Türen
10. das Gymnasium, die Gymnasien
11. die Operation, die Operationen
12. der Briefkasten, die Briefkästen

Exercise 3

der Koffer, die Bäckerei, die Einsamkeit, der Terror, das Dokument, der Direktor, das Mädchen, die Dose, die Bücherei, der Reaktor, das Museum, der Kommunismus, die Schwierigkeit, das Parlament, die Situation, die Religion, die Mehrheit, der Lehrling, die Achtung, die Gesellschaft, das Tischlein, die Figur, das Instrument

Exercise 4

1. der Sozialismus
2. die Natur
3. das Bier
4. die Schönheit
5. der Abend
6. die Wissenschaft

Exercise 5

1. die Kaffeemaschine
2. der Glückwunsch
3. das Hotelzimmer
4. der Regenschirm
5. die Brieftasche
7. der Ehemann
8. das Reisebüro
9. der Flughafen

Exercise 6

Singular: Flugzeug, Ding, Hose, Stadtplan, Kette, Ampel, Brille, Stunde, Haus, Krankheit, Vogel, Tier, Schloss
Plural: Meinungen, Radios, Züge, Kleider, Haare, Autos

Exercise 7

2. Mäuse
3. Freunde
4. Ausbildungen
5. Berge
6. Fotos
7. Kinder
8. Säfte
9. Bäume
10. Lehrer
11. Sofas
12. Physiker
13. Blumen
14. Väter

Exercise 8

1. Kindern
2. Flaschen
3. Studenten, Studentinnen
4. Plätze
5. Prüfungen
6. Flugzeugen
7. Dörfern
8. Autos
9. Menschen
10. Sekretärinnen

Exercise 9

Sample solution:
1. … Zweige, Vögel, Tiere, Pflanzen, Seen, …
2. Lineale, Stifte, Radiergummis, Notizblöcke, Spitzer, Hefter, Locher, …
3. Bananen, Ananas, Zitronen, Orangen, Grapefruits, Pfirsiche, Erdbeeren, …
4. Hosen, Pullover, T-Shirts, Blusen, Hemden, Strümpfe, Socken, …

Exercise 10

Damen, Herren, Kundinnen, Kunden, Sonderangebote
Damen, Röcke, Blusen, Jacken, Schuhe
Herren, Krawatten, Seidenhemden, Ledergürtel, Pullover
Kleinen, Hosen, T-Shirts, Badeanzüge, Sommerhüte

Exercise 11

1. -en
2. –
3. -en
4. –
5. -n
6. -n

Exercise 12

1. –
2. -innen
3. -s
4. –
5. -n
6. –

Exercise 13

Marias Mann arbeitet bei Siemens.
Dr. Müllers Büro ist im 2. Stock.
Deutschlands bester Pianist heißt …
Mozarts Geburtshaus steht in Salzburg.
Frankreichs Hauptstadt ist Paris.
Beethovens Symphonien habe ich alle auf CD.
Peters Freundin ist sehr hübsch.

Exercise 14

1. -n
2. –
3. -en
4. -en
5. –
6. –
7. -en
8. -en
9. -n, -n
10. –
11. –, -n
12. -e

Exercise 15
Grieche, -n/Griechin, -nen
Europäer, –/Europäerin, -nen
Türke, -n/Türkin, -nen
Österreicher, –/Österreicherin, -nen
Ire, -n/Irin, -nen
Spanier, –/Spanierin, -nen
Russe, -n/Russin, -nen
Rumäne, -n/Rumänin, -nen
Norweger, –/Norwegerin, -nen
Däne, -n/Dänin, -nen
Schotte, -n/Schottin, -nen
Asiate, -n/Asiatin, -nen
Holländer, –/Holländerin, -nen
Portugiese, -n/Portugiesin, -nen
Amerikaner, –/Amerikanerin, -nen
Pole, -n/Polin, -nen
Finne, -n/Finnin, -nen
Franzose, -n/Französin, -nen
Schweizer, –/Schweizerin, -nen
Italiener, –/Italienerin, -nen

2.2 Article words

Exercise 1
1. ein, – , – , eine, eine, ein
2. eine, die
3. eine, die

Exercise 2
1. ihre	6. ihre
2. seinen	7. Mein
3. euer	8. Seine
4. Unser	9. eure, unsere
5. deine	10. meine

Exercise 3
1. der	6. –, das
2. einen, –, dem	7. –
3. –	8. –, ein
4. –, –	9. –
5. –	10. –, –, eine, ein

Exercise 4
2. -en	6. -er, -en
3. –	7. -en
4. -e	8. -e
5. -e	9. -e, -en

10. -en	14. -e
11. -em, -e	15. –
12. -e	16. -en
13. -e	

Exercise 5
1. –, –, –/ein, –, eine, –, eine, –, –, ein, –, das
2. –, –, einem, die
3. einem, einer/der, –, das
4. –, die/eine
5. ein, –, ein, –

Exercise 6
2. jeden	9. Jeder/Aller
3. Diese	10. keinen
4. den/diesen	11. alle/diese/keine
5. den/diesen, alle	12. Diesen/Den
6. die, die	13. keinen
7. eine, diese, keinen	14. Den/Diesen
8. alle, dieser/der	

2.3 Adjectives

Exercise 1
2. Welche Hose gefällt Ihnen besser, die schwarze oder die blaue?
3. Welche Schuhe gefallen Ihnen besser, die braunen oder die weißen?
4. Welcher Pullover gefällt Ihnen besser, der bunte oder der einfarbige?
5. Welches Hemd gefällt Ihnen besser, das karierte oder das gestreifte?
6. Welcher Mantel gefällt Ihnen besser, der dicke oder der dünne?
7. Welche Taschen gefallen Ihnen besser, die großen oder die kleinen?
8. Welche Jacke gefällt Ihnen besser, die blaue oder die grüne?

Exercise 2
1. -e	7. -en
2. -e	8. -e
3. -e	9. -en
4. -e	10. -e
5. -en	11. -e
6. -en	12. -en

Exercise 3

1. -er	5. -e
2. -e	6. -es
3. -es	7. -es
4. -e	8. -e

Exercise 4

2. Ich schenke ihm eine neue Uhr.
3. Ich schenke ihm einen blauen Pullover.
4. Ich schenke ihm ein deutsches Wörterbuch.
5. Ich schenke ihm einen kleinen Hund.
6. Ich schenke ihm eine große Torte.
7. Ich schenke ihm ein buntes Hemd.
8. Ich schenke ihm eine moderne Krawatte.

Exercise 5

open exercise

Exercise 6

1. -e, -en	4. -en, -en
2. -en	5. -en, -en
3. -es	6. -en

Exercise 7

1. …, deutsches	4. warmen, neuen
2. laute, klassische	5. guten
3. neue, guten	6. frisches

Exercise 8

Hübsche, junge, blonde Frau sucht einen reichen, schwarzhaarigen Akademiker aus guter Familie mit schnellem Auto und dickem Bankkonto.

Attraktiver, jugendlicher Mann, Anfang 50, sucht liebevolle, sportliche Frau (20–30 Jahre alt), die gut kocht und sehr häuslich ist.

Suche ältere, aktive und interessierte Frauen und Männer für gemeinsame Ausflüge, lange Spaziergänge und gemütliche Abende.

Älteres Ehepaar mit drei großen Hunden sucht für ruhiges, möbliertes Zimmer mit eigenem Bad in schönem Haus eine zuverlässige Mieterin.

Exercise 9

Lines 1–10:	-es, -en, -en, -en, -en, -es, –, -en
Lines 11–20:	-e, –, -en, -en, -e, -en, –
Lines 21–30:	-en, -en, -e, –, -e, -es, -en, -e
Lines 31–40:	-en, -en, -e, -en, -en, -en
Lines 41–51:	-en, -en, -es, -e, -er, -e

Lines 52–61:	–, -en, -e, -e
Lines 63–71:	-e, -e, -e, -en, -e
Lines 72–81:	-en, -e, -en, -e, -e, -e, -en
Lines 82–92:	-en, -en, -en, -e, -en, -en, -en, -en, –

Exercise 10

Lines 1–6:	-en, -e, -en, -en, -en
Lines 7–16:	-e, -e, -e, -e, -en, -en, -e, -e
Lines 17–24:	-en, -en, -er, -er, -es, -en, -en
Lines 25–40:	-en, -en, -e, -er, -en, -er, -e, -e
Lines 41–44:	-en, -e, -e, -em

Exercise 11

Lines 1–10:	-e, -e, -en, -e, -e, -e, -e
Lines 11–20:	-en, -en, -en, -es, -en
Lines 21–30:	-er, -e
Lines 31–40:	-e, -e, -es, -er, -en, -en
Lines 41–48:	-e, -e, -e, -er

Exercise 12

regular:
kleiner/am kleinsten, schneller/am schnellsten, glücklicher/am glücklichsten, schwieriger/am schwierigsten

irregular:
leichter/am leichtesten, früher/am frühesten, klüger/am klügsten, dunkler/am dunkelsten, teurer/am teuersten, lieber/am liebsten, hübscher/am hübschesten, älter/am ältesten, mehr/am meisten, netter/am nettesten, höher/ am höchsten, besser/am besten, lauter/am lautesten, stärker/am stärksten

Exercise 13

2. Sei/Seien Sie doch geduldiger!
3. Sei bitte höflicher zur Nachbarin!
4. Geh bitte schneller!
5. Fahr/Fahren Sie bitte langsamer!
6. Helft bitte eurer Mutter!
7. Geh/Gehen Sie doch früher ins Bett!
8. Mach das Radio bitte leiser!

Exercise 14

2. … er möchte eine noch interessantere Arbeit.
3. … er möchte noch mehr Geld.
4. … er möchte eine noch bessere Assistentin.
5. … er möchte noch wertvollere Möbel.
6. … er möchte noch mehr Kinder.
7. … er möchte einen noch schöneren Garten.
8. … er möchte noch mehr Freizeit.

Exercise 15

2. leichtere
3. dickeren/wärmeren
4. kürzeren
5. interessanteren

6. besseres
7. weicheres/frischeres
8. besseren

Exercise 16

1. am schnellsten
2. wichtigste
3. teuersten, elegantesten
4. neuesten, am liebsten
5. reichste
6. jüngste

Exercise 17

2. besten
3. älteste(n)
4. meisten
5. schwierigste

6. jüngste
7. höchste
8. längste

Exercise 18

open exercise

Exercise 19

2. Ein Elefant ist dicker als eine Giraffe.
3. Die Wohnungen in München sind ungefähr so teuer wie die Wohnungen in Hamburg.
4. Der ICE in Deutschland fährt so schnell wie der TGV in Frankreich.
5. Das Eis in Italien schmeckt besser als das Eis in Deutschland.
6. Eine Katze ist größer als eine Maus.
7. Paris gefällt mir genauso gut wie Rom./Paris gefällt mir besser als Rom./Rom gefällt mir besser als Paris.
8. Eva schwimmt so schnell wie Angela./Eva schwimmt schneller als Angela.

Exercise 20

2. Arbeitslosen
3. Fremde
4. Schlimmste
5. Angestellten
6. Rothaarige

7. Gefangener
8. Schönste
9. Deutschen
10. Anwesenden

Exercise 21

Arbeitslose/n, Arbeitslosen
Neugierige, Neugierigen
Intellektuelle/n, Intellektuellen
Verwandte, Verwandte

Blinde/n, Blinde
Anwesender, Anwesende
Böse, Bösen
Bekannter, Bekannte

Exercise 22

Sample solution:
Jugendliche sind Kinder/junge Erwachsene ab 13/14 Jahren.
Kranke sind Menschen, die eine Krankheit haben.
Ein Toter ist jemand, der nicht mehr lebt.
Ein Betrunkener ist jemand, der zu viel getrunken hat.
Blinde können nicht sehen.
Abwesende sind Personen, die zu einem bestimmten Zeitpunkt nicht an einer bestimmten Stelle sind.
Gefangene sind Personen, die festgehalten werden.
Ein Arbeitsloser ist ein Mensch, der keine Arbeit hat.
Ein Geiziger ist jemand, der ungern mit anderen Menschen etwas teilt oder ihnen ungern etwas abgibt.
Ein Blonder ist ein Mensch, der blonde Haare hat.
Eine Reisende ist eine Frau, die viel unterwegs/auf Reisen ist.
Ein Verliebter ist jemand, der verliebt ist.

2.4 Numerals

Exercise 1

2. neunundneunzig Euro dreißig
3. (ein)hundertneunzehn (Schweizer) Franken
4. sechshundertachtzig Euro
5. drei Euro fünfzehn
6. vier Franken zehn
7. neunundzwanzig (Schweizer) Franken
8. fünf Euro zwanzig
9. vier Franken achtzig
10. neununddreißig Euro

Exercise 2

2. Es ist acht Uhr dreißig./Es ist halb neun.
3. Es ist fünfzehn Uhr fünfundvierzig./Es ist Viertel vor vier.
4. Es ist einundzwanzig Uhr fünf./Es ist fünf nach neun.
5. Es ist sechs Uhr vierzig./Es ist zwanzig vor sieben.

6. Es ist neun Uhr fünfzehn./Es ist Viertel nach neun.
7. Es ist elf Uhr zwanzig./Es ist zwanzig nach elf.
8. Es ist ein Uhr fünfzehn./Es ist Viertel nach eins.
9. Es ist sieben Uhr fünfundfünfzig./Es ist fünf vor acht.
10. Es ist zweiundzwanzig Uhr zehn./Es ist zehn nach zehn.

Exercise 3

2. Am einundzwanzigsten Dritten sechzehnhundertfünfundachtzig.
3. Am siebzehnten Zwölften siebzehnhundertsiebzig.
4. Am fünften Neunten siebzehnhundertvierundsiebzig.
5. Am ersten Vierten achtzehnhundertfünfzehn.
6. Am sechsten Sechsten achtzehnhundertfünfundsiebzig.
7. Am achten Zweiten achtzehnhundertachtzig.
8. Am zehnten Zweiten achtzehnhundertachtundneunzig.

Exercise 4

1. einundzwanzigsten Dritten neunzehnhundertachtundachtzig
2. einunddreißigsten Zwölften
3. dreißigsten Siebten
4. zweiundzwanzigsten Zweiten neunzehnhundertfünfundsiebzig
5. neunzehnhundertsechsundneunzig
6. Vierte
7. Zwölften
8. ersten Achten … vierundzwanzigsten Achten

Exercise 5

1. zwei Kilo, ein Pfund
2. zwei Meter, ein Meter zwanzig
3. Montags
4. doppelt
5. viermal
6. sechs Prozent
7. minus zehn Grad
8. drei Liter
9. Morgens, nachmittags
10. jahrelang
11. dritter
12. ein Drittel

2.5 Pronouns

Exercise 1

2. Sie	6. Wir
3. Sie	7. Du, sie
4. Es	8. ihr
5. ich	

Exercise 2

2. Wo ist denn meine Tasche? Ich finde sie nicht.
3. Wo ist denn mein Geld? Ich finde es nicht.
4. Wo sind denn meine Schuhe? Ich finde sie nicht.
5. Wo ist denn mein Mantel? Ich finde ihn nicht.
6. Wo ist denn mein Kalender? Ich finde ihn nicht.
7. Wo ist denn mein Buch? Ich finde es nicht.
8. Wo sind denn meine Schlüssel? Ich finde sie nicht.
9. Wo ist denn mein Pass? Ich finde ihn nicht.
10. Wo sind denn meine Hunde? Ich finde sie nicht.
11. Wo ist denn Antonia? Ich finde sie nicht.

Exercise 3

1. mir	5. Ihnen
2. uns	6. ihm
3. euch	7. ihr
4. mir, dir	8. ihnen

Exercise 4

1. sie	4. sie
2. ihn	5. es
3. sie	6. ihn

Exercise 5

2. einen Sonnenhut, diesen, den, den, der
3. eine Sonnenbrille, diese, die, die, die
4. Sandalen, diese, die, die, die
5. ein T-Shirt, dieses, das, das, das
6. Badehandtücher, diese, die, die, die
7. einen Minirock, diesen, den, den, der
8. eine Tasche, diese, die, die, die

Exercise 6

2. dieses Bett, das, das
3. dieses Sofa, das, das
4. diese Kommode, die, die
5. diese Wanduhr, die, die
6. diesen Teppich, den, der
7. diese Lampen, die, die
8. diesen Tisch, den, der

Exercise 7
2. ein Gasthaus, eins/keins
3. einen Bahnhof, einen/keinen
4. eine Bäckerei, eine/keine
5. ein Kino, eins/keins
6. einen Kinderspielplatz, einen/keinen
7. eine Bank, eine/keine
8. eine Kirche, eine/keine
9. einen Strand, einen/keinen
10. einen Arzt, einen/keinen

Exercise 8

2. meiner	6. meins
3. unseres	7. meiner
4. seine	8. ihres
5. meine	

Exercise 9

2. keins, eins	4. einen, einen, welche
3. eins, welche	5. keine, keine

Exercise 10
Sie, mir, Sie
Sie, Ihnen
Mir, Ich, Sie

Exercise 11
Liebe Monika, lieber Heinrich,

wie geht es Euch? Wohin seid Ihr nach Eurem Besuch bei mir noch gefahren? Hattet Ihr noch eine schöne Zeit in Portugal?

Ich habe mich sehr gefreut, Euch nach so langer Zeit wiederzusehen und ein paar Tage mit Euch in unserem Haus am Meer zu verbringen. Es war eine sehr schöne Zeit, und ich denke noch oft daran.

Mir geht es gut. Ich bin nach dem Urlaub wieder nach Lissabon zurückgekehrt und habe leider zurzeit viel Arbeit. Aber ich hoffe sehr, dass ich bald einmal Zeit habe, Euch in Düsseldorf zu besuchen.

Herzliche Grüße

Exercise 12
1. niemand(em)
2. jedem
3. irgendeiner/einer
4. Wer, man
5. Man

6. jemand
7. niemand, irgendeiner
8. jeder, wer
9. jemand
10. einen

Exercise 13
1. dieser, meiner, jede, jedes, alle, unserem, Einige
2. Dieser, der, beide, dieser
3. Manche, alle, Diese
4. allen, einige
5. diese, keine, eine, deiner

Exercise 14

1. wenig		6. nichts	
2. alles		7 wenig	
3. viel/alles		8. alles	
4. viele		9. viel/alles	
5. wenig		10. alles, viel	

Exercise 15

1. c	4. e
2. d	5. f
3. a	6. b

Exercise 16

1. Wann	5. Wie
2. Warum	6. Welche
3. Wen	7. Wem
4. Wo	8. Wer

Exercise 17

1. Was für ein	3. Welche
2. Welches	4. Was für einen

Exercise 18
2. Um wie viel Uhr/Wann kommen die Gäste?
3. Wo wohnt Ihre/deine Freundin?
4. Was möchten Sie/möchtest du lieber?
5. An wen denken Sie/denkst du noch oft?
6. Wer kommt Sie/euch am Wochenende besuchen?
7. Wen haben Sie/hast du gestern getroffen?
8. Wie heißen Sie/heißt du?
9. Wem haben Sie/habt ihr ein lustiges Buch geschenkt?
10. Wofür/Für wen interessiert sich Ihr/dein Mann gar nicht?

Exercise 19

2. Wo wohnen Sie?
3. Wann sind Sie angekommen?
4. Mit wem/Wem …?
5. Worauf warten Sie hier?
6. Was ist das?/Wem gehört diese Brieftasche?
7. Wer hat …?
8. Wo wohnen Sie?/In welchem Hotel wohnen Sie?

Exercise 20

1. c	4. a
2. e	5. b
3. f	6. d

Exercise 21

2. … mit dem sie oft tanzen gehen kann.
3. … den sie bewundern kann.
4. … dessen Charakter ihr gefällt.
5. … mit dem sie viel Spaß machen kann.
6. … der gern Sport macht.

Exercise 22

1. den, der, dem
2. die, die, der
3. die, die, denen

Exercise 23

2. Das ist ein Tier, das im Meer lebt.
3. Das ist eine Zeitung, die einmal pro Woche erscheint.
4. Das ist eine Schule, in der man Sprachen lernt/lernen kann.
5. Das ist ein Haus, in dem die Leute Roulette spielen.
6. Das ist ein Bett, in dem Kinder schlafen.
7. Das ist ein Mensch, der an der Universität studiert.
8. Das ist ein Zimmer, in dem Gäste wohnen.

Exercise 24

1. in die	5. um die
2. wofür	6. an die/woran
3. für die/wofür	7. mit der
4. worüber	8. worüber

Exercise 25

1. deren, dessen, dessen
2. dessen, deren
3. deren, dessen, dessen

Exercise 26

1. die, deren, in denen, die
2. was, worüber, wofür, was
3. die, in der, wohin/in die, wo/in der
4. was, worüber, wofür, was
5. der, über den, dem (‚vertrauen‘ + Dativ!), der

Exercise 27

1. in der		7.	was
2. was		8.	dessen
3. deren		9.	was
4. was		10.	auf die
5. die		11.	woher
6. wo		12.	deren

Exercise 28

2. –		8.	Es
3. –		9.	es
4. Es		10.	es
5. es		11.	es
6. –		12.	Es
7. Es			

Exercise 29

2. Sagen Sie mir, wie es passiert ist.
3. Hast du gehört, ob es geklingelt hat?
4. Es ist schon spät.
5. Dem Kranken geht es zum Glück wieder gut.
6. Er hat es leider immer eilig.
7. Rauchen ist hier verboten./Hier ist Rauchen verboten.
8. Mir gefällt es nicht, wenn du so viel fernsiehst.

3.1 Prepositions

If more than one preposition is given, the first one is the most common.

Exercise 1

1. Fährt der Bus zum Bahnhof?
2. Am Sonntag fahre ich nach Berlin.
3. Du musst unbedingt zum Arzt gehen!
4. Wann gehen Sie heute nach Hause?
5. Antonio kommt aus Spanien.
6. Wann haben Sie den Termin beim Chef?
7. Können Sie bitte noch schnell zur Post gehen?
8. Meine Frau ist jetzt zu Hause.

Exercise 2
1. in die
2. nach
3. in die
4. nach
5. nach
6. in die
7. nach
8. in die

Exercise 3
1. bei
2. Zur
3. bei
4. zum

Exercise 4
2. mit dem, nach
3. zur
4. am
5. zu
6. in der
7. nach
8. aus

Exercise 5
2. ins – aus dem
3. zum – vom
4. ins – aus dem
5. zur/auf die/in die – aus der
6. in den/zum – aus dem
7. an den – vom
8. auf die – von den
9. in die – aus der
10. in die – aus der

Exercise 6
2. im
3. am
4. im
5. in/auf der
6. im
7. am
8. auf den
9. in der
10. in der

Exercise 7
1. ins, an den/einen
2. Im, am
3. In der/Auf der
4. auf die, ins
5. in den, im, im, in der

Exercise 8
1. zur/in die Metzgerei
2. ins Kino
3. zur/in die Apotheke
4. zum Flughafen
5. ins Restaurant
6. in die Buchhandlung

Exercise 9
2. im
3. in der
4. am
5. im
6. in der

Exercise 10
1. aus dem
2. Von
3. Vom
4. aus dem

Exercise 11
1. zu, in die, in, in der, an, in den
2. auf dem, im, im, im, an der, bei, in der, am, im, am

Exercise 12
2. … meine Jacke?   Ich habe sie an die Garderobe gehängt. – Sie hängt aber nicht mehr an der Garderobe! – …, wo sie ist.
3. … mein Fußball? – Ich habe ihn in den Keller gelegt. – Er ist /liegt aber nicht mehr im Keller! – …, wo er ist.
4. … meine Schere? – Ich habe sie in die Schublade gelegt. – Sie liegt aber nicht mehr in der Schublade! – …, wo sie ist.
5. … meine Schlüssel? – Ich habe sie ans Schlüsselbrett gehängt. – Sie hängen aber nicht mehr am Schlüsselbrett! – …, wo sie sind.
6. … meine Schuhe? – Ich habe sie unter die Bank gestellt. – Sie stehen aber nicht mehr unter der Bank! – …, wo sie sind.
7. … meine Tasche? – Ich habe sie zwischen das Regal und den Schrank gestellt! – Sie ist/steht aber nicht mehr zwischen dem Regal und dem Schrank! – …, wo sie ist.
8. … meine Taschenlampe? – Ich habe sie neben das Lexikon gelegt. – Sie liegt aber nicht mehr neben dem Lexikon! – …, wo sie ist.

Exercise 13
Sample solution:
Wo liegt die Gitarre? – Sie liegt unter dem Bett.
Wo steht der Schulranzen? – Er steht auf dem Bett.
Wo steht die Zahnbürste? – Sie steht auf dem Tisch.
Wo hängt die Krawatte? – Sie hängt über dem Schlüssel.
Wo hängt die Socke? – Sie hängt über dem Stuhl.
…

Exercise 14

Wohin hat er die Gitarre gelegt? – Er hat sie unter das Bett gelegt.

Wohin hat er den Schulranzen gestellt? – Er hat ihn auf das Bett gestellt.

Wohin hat er die Zahnbürste gestellt? – Er hat sie auf den Tisch gestellt.

Wohin hat er die Krawatte gehängt? – Er hat sie über den Schlüssel gehängt.

Wohin hat er die Socke gehängt? – Er hat sie über den Stuhl gehängt.

Exercise 15

2. In einer Pension in Berlin.
3. Bei Freunden in Japan.
4. Auf einem Schiff im Mittelmeer.
5. In einer Stadt am Rhein.
6. Auf einer Insel im Indischen Ozean.
7. In einem Bungalow an der Südküste von Spanien.
8. In einem Haus in den Alpen.

Exercise 16

1. Auf diesem
2. Auf dem / Im
3. Im
4. Um den
5. Am
6. In der, neben der, Vor dem
7. Außerhalb
8. Um den … herum
9. Auf dieser, gegen
10. Hinter dem, Auf dem

Exercise 17

in der, im, In, Im, neben, aus, im, gegenüber, zu, in
um die, am, im, entlang nach, an die, hinter
nach, über den, zwischen, nach
an der, in die

Exercise 18

1. seit
2. vor, in
3. Seit, seit
4. –
5. in
6. –, vor
7. Seit, im
8. seit, in

Exercise 19

1. in
2. am
3. im
4. im
5. am
6. in der
7. am
8. am

Exercise 20

1. nach
2. In
3. In
4. Nach
5. nach
6. nach

Exercise 21

1. Seit
2. In
3. Zwischen
4. Beim
5. Von nächster Woche an
6. Zwei Wochen lang

Exercise 22

1. um
2. gegen
3. um
4. gegen
5. gegen
6. um

Exercise 23

2. gegen
3. Um, vor, nach, seit
4. in, um/gegen
5. zwischen, Bis

Exercise 24

1. am, Am, seit, am, nach, Am
2. in, Von, bis, Am, am
3. in, am, bis, um, seit
4. bis, gegen

Exercise 25

1. Bei
2. in/innerhalb von
3. von, bis
4. vor, bis
5. –
6. –
7. vor
8. während
9. bis
10. über
11. Seit
12. nach

Exercise 26

1. ohne
2. aus
3. nach
4. auf
5. mit
6. in
7. nach
8. zum
9. mit
10. Ohne
11. auf
12. mit
13. Im
14. Zum

Exercise 27

1. Wegen
2. Aus
3. Bei
4. wegen
5. vor
6. aus
7. Wegen
8. Bei
9. vor
10. Wegen

3.2 Adverbs

Exercise 1

1. rauf	6. rauf, runter
2. rein, dorthin	7. raus, rein
3. raus	8. her
4. her	9. (hier)her
5. rüber	10. rauf

Exercise 2

1. hinein (rein)	6. nach drinnen
2. nirgendwo/nirgends	7. irgendwohin
3. da/dort	8. hinauf (rauf)
4. rechts	9. aufwärts
5. von hinten	10. vorwärts

Exercise 3

2. überallhin	6. nach vorn
3. hinaus	7. fort
4. von ... oben	8. hierher
5. unten	

Exercise 4

2. jetzt/nun/gleich	6. Bisher
3. vorhin	7. später/nachher
4. früher/damals	8. gerade
5. vorher, nachher	

Exercise 5

open exercise

Exercise 6

2. wenigstens	7. irgendwie
3. genauso	8. fast, sehr, höchstens
4. umsonst	9. fast
5. bestimmt	10. ziemlich
6. kaum	

Exercise 7

1. Trotzdem/Dennoch
2. Deshalb/Deswegen/Daher/Darum
3. also
4. deshalb/deswegen/daher/darum
5. also/deshalb/deswegen/daher/darum
6. Trotzdem/Dennoch

4.2 Verb in Second Position

Exercise 1

2. Wir kaufen nächstes Jahr eine neue Wohnung.
3. Er kommt immer zu spät.
4. Morgen muss ich um 6 Uhr aufstehen.
5. Am Sonntag fahre ich wieder weg.
6. Dieses Jahr möchte unser Sohn nicht mit uns in den Urlaub fahren.
7. Wir bleiben gern noch ein bisschen länger.
8. Nächste Woche besuche ich dich.

Exercise 2

2. Ich habe Hunger und möchte jetzt etwas essen.
3. Ich komme später, denn ich muss heute lange arbeiten.
4. Wir besuchen Sie heute Abend oder morgen.
5. Letztes Jahr war ich noch in der Schule, aber jetzt studiere ich.
6. Frank kann leider nicht zur Party kommen, denn er ist krank.
7. Sollen wir jetzt nach Hause gehen oder sollen wir die Arbeit noch fertig machen?
8. Am Dienstag fahren wir nach Florenz und am Mittwoch nach Rom.

Exercise 3

2. Ja, ich habe sie ihnen schon zugeschickt.
3. Ja, er hat ihn ihnen weggenommen.
4. Ja, ich habe ihn ihnen schon angeboten.
5. Ja, er hat es ihnen schon vorgestellt.
6. Ja, ich habe ihn ihm schon gebracht.
7. Ja, ich habe es ihm schon gezeigt.
8. Ja, ich habe ihn ihnen schon erklärt.

Exercise 4

2. Er schenkte ihr einen großen Blumenstrauß zum Geburtstag./Zum Geburtstag schenkte er ihr einen großen Blumenstrauß.
3. Sie gab ihm zum Abschied einen Kuss./Zum Abschied gab sie ihm einen Kuss.
4. Wir haben unsere Wohnung gekündigt.
5. Ich mache ab morgen eine Diät./ Ab morgen mache ich eine Diät.
6. Er hat den ganzen Morgen Zeitung gelesen./ Den ganzen Morgen hat er Zeitung gelesen.
7. Das Hotel hat uns sehr gut gefallen.
8. Die Geschäfte schließen in Deutschland um 20.00 Uhr./In Deutschland schließen die Geschäfte um 20.00 Uhr./Um 20.00 Uhr schließen in Deutschland die Geschäfte.

Exercise 5
2. Wir gehen heute Nachmittag mit den Kindern ins Schwimmbad.
3. Wir waren letzten Sommer mit dem Wohnmobil in den USA in Urlaub.
4. Ich würde gern abends mit dir am Fluss spazieren gehen.
5. Sie geht jeden Abend mit ihrem neuen Freund in dieselbe Disco zum Tanzen.
6. Ich fahre nächsten Sonntag wegen der Hochzeit meines Bruders nach Berlin.
7. Ich räume heute Abend ganz bestimmt die Küche auf.
8. Er hat sich letzte Woche beim Skifahren in der Schweiz erkältet.

Exercise 6
2. Mit ihm will ich nichts mehr zu tun haben.
3. Mir hat natürlich wieder keiner was gesagt!
4. Davon weiß ich leider nichts.
5. Auf mich kannst du dich ganz bestimmt verlassen.
6. Das hat mir niemand gesagt.
7. Glücklicherweise ist ihm bei dem Unfall nichts passiert.
8. Dorthin möchte ich auch gern einmal fahren.

Exercise 7
2. Ich habe mich beim Chef schon entschuldigt.
3. Er musste gestern vor dem Theater lange auf mich warten.
4. Ich kann dich gern nach Hause fahren.
5. Er hat ihr das Buch schon gebracht.
6. Ich habe mir wegen der Kälte einen warmen Anorak gekauft.
7. Sie hat mir nichts gesagt.
8. Wir sind am Sonntag zum Wandern in die Berge gefahren.

Exercise 8
2. Seine Bilder haben mir nicht gut gefallen.
3. Ihre Mutter besucht uns nicht.
4. Er hat sich nicht an mich erinnert.
5. Ich habe das nicht gewusst.
6. Ich kann nicht Tennis spielen.
7. Ich bleibe nicht hier.
8. Du sollst das nicht machen.

Exercise 9
2. nicht
3. keinen
4. kein
5. keine
6. nicht
7. keinen, nicht
8. keine
9. nicht
10. keinen

Exercise 10
2. Ich kenne sie nicht.
3. Wir gehen nicht heute ins Konzert, sondern morgen.
4. Nicht alle lieben diese Sängerin.
5. Er kann nicht Ski fahren.
6. Ich gehe nicht mit jedem aus.
7. Ich weiß es nicht.
8. Das versteht nicht jeder.

Exercise 11
2. aber, denn
3. sowohl, als auch
4. sondern
5. zwar, aber
6. Entweder, und, oder
7. Weder noch
8. oder, und

Exercise 12
Sample solution:
1. Gestern bin ich nach der Schule nach Hause gegangen.
2. Plötzlich habe ich vor der Haustür bemerkt, dass ich meinen Schlüssel vergessen hatte.
3. Zum Glück hat unsere Nachbarin auch einen Schlüssel von unserer Wohnung.
4. Deswegen habe ich bei ihr geklingelt.
5. Leider war sie nicht zu Hause.
6. Sofort habe ich überlegt, was ich tun kann.
7. Schließlich hatte ich eine Idee
8. und ich rief den Schlüsselnotdienst an.
9. Gleich kam der Schlüsselnotdienst.
10. Dann öffnete mir der Mann die Tür.
11. In diesem Moment kam meine Mutter früher von der Arbeit zurück.
12. Trotzdem musste ich 140,– Euro bezahlen.
13. Aber ich habe das Geld umsonst bezahlt.

Exercise 13
1. Früher lebten wir auf dem Land in Oberbayern, jetzt sind wir nach Berlin umgezogen.
2. Meine Kindheit habe ich in Bayern verbracht. Deshalb liebe ich die Berge.
3. Das Leben in einer Großstadt wie Berlin hat für mich eine große Umstellung bedeutet. Trotzdem habe ich mich schnell daran gewöhnt.

4. Hier verwenden die Leute zum Beispiel das Wort „Semmel" nicht. Sie sagen „Schrippen".

5. Neulich hat mir jemand gesagt, als ich ihn mit „Grüß Gott" begrüßt habe: „Du kommst wohl aus Bayern!", denn hier sagt man „Guten Tag".

6. Also sage ich jetzt auch immer „Guten Tag", wenn ich jemanden grüße.

4.4 Verb in end-position

Exercise 1
1. c
2. g
3. c
4. b
5. f
6. a
7. d

Exercise 2
2. Bevor meine Eltern kommen, muss ich noch schnell die Wohnung aufräumen.
3. Während ich das Bad putze, konntest du doch schon mit dem Geschirrspülen anfangen.
4. Seitdem sie angerufen haben, bist du schrecklich nervös.
5. Nachdem sie angerufen hatten, habe ich mir erst einmal ein Glas Wein geholt.
6. Bis ihr Anruf am Samstagabend kam, habe ich nie geglaubt, dass sie mich wirklich besuchen wollen.
7. Als ich in London gelebt habe, haben sie mich nie besucht.
8. Wenn wir in Paris waren, haben wir immer im selben Hotel gewohnt.

Exercise 3
1. Als
2. Wenn
3. wenn
4. als
5. als
6. Wenn
7. wenn
8. als

Exercise 4
2. Als ich noch kein Auto hatte, ging ich viel zu Fuß.
3. Immer/Jedes Mal wenn ich krank war, las mir Mutter viele Bücher vor./Als ich krank war, las mir Mutter viele Bücher vor.
4. Immer/Jedes Mal wenn ich im Krankenhaus lag, spielte ich viel mit den anderen Kindern./Als ich im Krankenhaus lag, spielte ich viel mit den anderen Kindern.

5. Immer/Jedes Mal wenn Großmutter zu Besuch kam, brachte sie uns Schokolade mit./Als Großmutter zu Besuch kam, brachte sie uns Schokolade mit.
6. Als ich zur Schule ging, wollte ich nie Hausaufgaben machen.
7. Immer/Jedes Mal wenn wir in Urlaub waren, spielte Vater viel mit mir./Als wir in Urlaub waren, spielte Vater viel mit mir.
8. Immer/Jedes Mal wenn ich in Italien war, aß ich viel Eis./Als ich in Italien war, aß ich viel Eis.

Exercise 5
open exercise

Exercise 6
Sample solution:
2. Als meine Großmutter noch lebte, erzählte sie mir viel von früheren Zeiten.
3. Als ich noch nicht verheiratet war, fühlte ich mich oft allein.
4. Als ich 18 Jahre alt war, hat sich eigentlich nichts verändert.
5. Als es noch keine Computer gab, war es viel schwieriger, einen Brief zu schreiben.
6. Als ich zur Schule ging, war das Leben noch nicht so anstrengend.
7. Als ich das erste Mal verliebt war, wusste ich nicht, wie ich mich verhalten sollte.
8. Als ich dich noch nicht kannte, war mein Leben noch ganz anders.

Exercise 7
2. Während ich tanke, könntest du schon die Autofenster waschen.
3. Während ich den Reiseproviant vorbereite, könntest du schon die Küche aufräumen.
4. Während ich ein Hotel suche, könntest du auf das Gepäck aufpassen.
5. Während ich dusche, könntest du schon die Koffer ausräumen.
6. Während ich einen Parkplatz suche, könntest du schon ins Restaurant gehen.

Exercise 8
1. Während der Vater fernsieht, spielen die Kinder.
2. Während die Frau im Sessel sitzt und Zeitung liest, spült der Mann das Geschirr.
3. Während die Frau einen Brief schreibt, liest der Mann ein Buch.

4. Während der Mann isst, trinkt die Frau nur ein Glas Wasser.

Exercise 9

2. Seitdem ich in Deutschland lebe, besuche ich eine Sprachschule.
3. Bis ich mit der Arbeit beginne, muss ich noch Deutsch lernen.
4. Seitdem wir einen neuen Lehrer haben, verstehe ich alles viel besser.
5. Seitdem ich mit diesem Buch lerne, verstehe ich die Grammatik besser.
6. Bis ich gut Deutsch kann, werde ich verrückt.
7. Seitdem ich eine neue Wohnung habe, bin ich glücklicher.
8. Seitdem ich sie kenne, ist das Leben viel schöner.

Exercise 10

Sample solution:
Papa, wann gehst du mit mir ins Schwimmbad?
Sobald ich einen Mittagsschlaf gemacht habe.
Papa, wann fährst du mit mir Rad?
Sobald ich etwas gegessen habe.
Papa, wann gehst du mit mir Eis essen?
Sobald ich den Schreibtisch aufgeräumt habe.
Papa, wann malst du mit mir?
Sobald ich meine Schuhe ausgezogen habe.
Papa, wann gehen wir in den Park?
Sobald ich die Hände gewaschen habe.

Exercise 11

1. nachdem	4. als
2. als	5. nachdem
3. nachdem	6. Als

Exercise 12

Sample solution:
2. Sobald du deine Hausaufgaben gemacht hast.
3. Wenn du älter bist.
4. Sobald er mit der Arbeit fertig ist.
5. Bevor wir Abend essen.
6. Wenn ich die Küche fertig aufgeräumt habe.
7. Als du noch nicht auf der Welt warst.
8. Sobald ich die Wäsche aufgehängt habe.

Exercise 13

2. Ja also, nachdem ich das Abitur gemacht hatte, musste ich zum Militär.
3. Als ich 26 Jahre alt war.

4. Ja wissen Sie, bevor ich mit dem Musikstudium begann, wollte ich Arzt werden.
5. Seit ich zur Schule ging.
6. Nachdem ich aus den USA zurückgekehrt war, besuchte ich einen alten Schulfreund. Sie ist seine jüngere Schwester.
7. Oh ja, jedes Mal wenn ich auf die Bühne ging, war ich schrecklich nervös.
8. Nachdem ich den zweiten Herzinfarkt hatte.

Exercise 14

Sample solution:
2. Er aß so viel, bis er nicht mehr konnte.
3. Seine Freundin verließ ihn, nachdem er sie angelogen hatte.
4. Seine Eltern schrieben ihm einen bösen Brief, als sie erfahren hatten, dass er sein Studium abgebrochen hatte.
5. Er wanderte drei Monate allein durch die Berge, nachdem sie ihn verlassen hatte.
6. Er drehte sich um und ging weg, sobald er gesagt hatte, was er sagen wollte.
7. Sie trank noch einen Kaffee, bevor sie nach Hause ging.
8. Sie wollten nicht heiraten, bis sie nicht beide mit der Ausbildung fertig waren.
9. Sie weinte den ganzen Abend, nachdem sie sich von ihm getrennt hatte.
10. Sie haben ihr Haus verkauft, als sie in Rente gingen.
11. Er wollte noch einmal mit ihr sprechen, bevor sie in das Flugzeug stieg.
12. Ich spiele Trompete, seit ich elf Jahre alt bin.
13. Er sah fern, während sie noch arbeitete.
14. Wir haben eine Flasche Champagner aufgemacht, nachdem wir von unserem Gewinn erfahren hatten.
15. Du kannst bei uns bleiben, bis du eine eigene Wohnung gefunden hast.
16. Ich schlafe schlecht, seitdem ich an dieser lauten Straße wohne.
17. Wir fahren los, sobald du aus der Schule kommst.
18. Ich war total überrascht, als sie mir davon erzählte.
19. Wir machen noch eine Pause, bevor wir den nächsten Abschnitt durcharbeiten.
20. Kommst du nach, sobald du fertig bist?

Exercise 15
open exercise

Exercise 16
1. Während
2. nachdem
3. Als
4. Sobald
5. bevor
6. wenn
7. bis
8. Seitdem
9. Als

Exercise 17
2. ..., weil er so brutal war.
3. ..., weil es zu teuer ist.
4. ..., weil ich noch Auto fahren muss.
5. ..., weil ich morgen früh aufstehen muss.
6. ..., weil es uns nicht schmeckt.

Exercise 18
1. Frau Bauer ist unglücklich, weil ihre Katze weggelaufen ist.
2. Toni freut sich, weil er die Prüfung bestanden hat.
3. Sie kauft im Supermarkt ein, weil dort alles am billigsten ist.
4. Anna geht ins Bett, weil sie müde ist.
5. Ich bin am Wochenende nicht mitgekommen, weil ich krank war.
6. Wir nehmen zum Kochen nur Olivenöl, weil es am besten ist.

Exercise 19
open exercise

Exercise 20
open exercise

Exercise 21
open exercise

Exercise 22
2. Wenn Hans sich schon wieder einen Ferrari kauft, hat er aber sehr viel Geld.
3. Wenn ihr schon wieder streitet, geht ihr sofort ins Bett.
4. Wenn du noch Geld brauchst, ruf mich einfach an.
5. Wenn Sie noch etwas Zeit haben, schreiben Sie bitte noch schnell diesen Brief.
6. Wenn Sie immer noch Schmerzen haben, nehmen Sie eine Tablette mehr pro Tag.

Exercise 23
2. Ja, wenn wir genug Geld haben./Ja, wenn ich genug Geld habe.
3. Ja, wenn es nicht so fett ist.
4. Ja, wenn ich keine andere Arbeit finde.
5. Ja, wenn du nicht zu spät nach Hause kommst.
6. Ja, wenn wir noch Karten bekommen.
7. Ja, besonders wenn ich in der Badewanne liege.

Exercise 24
open exercise

Exercise 25
open exercise

Exercise 26
1. d
2. f
3. e
4. a
5. c
6. b

Exercise 27
2. Obwohl sein altes Fahrrad noch in Ordnung ist, kauft er sich ein neues.
3. Obwohl sie krank ist, geht sie nicht zum Arzt.
4. Obwohl es so gesund ist, isst sie nie Obst.
5. Obwohl sie fünf Kinder haben, haben sie nur eine kleine Wohnung.
6. Obwohl er lieber ins Kino gehen würde, geht er mit seiner Frau ins Theater.

Exercise 28
open exercise

Exercise 29
open exercise

Exercise 30
2. ..., um mein Auto zu reparieren.
3. ..., um damit zu spielen.
4. ..., um meine Freundin zu besuchen.
5. ..., um dich zu ärgern.
6. ..., um die Grammatik zu üben.

Exercise 31
2. ..., um den Verkauf ihrer Produkte zu erhöhen.
3. ..., damit die Bürger mehr sparen.
4. ..., um die Inflation zu bekämpfen.
5. ..., damit ihr Sohn darin eine eigene Wohnung hat.
6. ..., damit seine Frau nicht aufwacht.

7. …, um mit bleifreiem Benzin fahren zu können.
8. …, um eine bessere Arbeit zu finden.

Exercise 32
open exercise

Exercise 33
open exercise

Exercise 34
2. Die Kinder haben gebastelt, sodass sie für jeden in der Familie ein kleines Geschenk hatten.
3. Die Kinder haben ihrer Mutter beim Backen geholfen, sodass sie schon die Plätzchen probieren konnten.
4. Der Vater hatte vorher so viel gearbeitet, dass er nach Weihnachten ein paar Tage freinehmen konnte./Der Vater hatte vorher viel gearbeitet, sodass er nach Weihnachten ein paar Tage freinehmen konnte.
5. Die Großmutter kam zu Besuch, sodass sie die Feiertage nicht allein verbringen musste.
6. Der Weihnachtsbaum war so groß, dass sie zum Schmücken eine Leiter brauchten.

Exercise 35
2. Er kam später, ohne vorher anzurufen.
3. Er tat jemandem weh, ohne sich zu entschuldigen.
4. Er hörte laute Musik, ohne an die Nachbarn zu denken.
5. Er beleidigte jemanden, ohne es zu merken.
6. Er nahm mein Fahrrad, ohne mich vorher zu fragen.
7. Er ging vorbei, ohne zu grüßen.
8. Er ging aus dem Haus, ohne die Schlüssel mitzunehmen.

Exercise 36
2. Am Oktoberfest wurde so viel getrunken wie im vergangenen Jahr.
3. Dieser Computer ist nicht so gut, wie im Allgemeinen angenommen wird.
4. Er kocht besser, als ich gedacht habe.
5. Wir mussten für die Reise weniger zahlen, als im Prospekt stand.
6. Sie schwimmt schneller, als ihre Konkurrenten befürchtet haben.

Exercise 37
open exercise

Exercise 38
2. Je mehr Sport ich mache, eine desto/umso bessere Figur bekomme ich.
3. Je weniger ich esse, desto/umso schlechter bin ich gelaunt.
4. Je berühmter ein Künstler wird, desto/umso mehr verdient er.
5. Je netter ein Chef ist, desto/umso lieber arbeite ich.
6. Je älter ich werde, desto/umso toleranter werde ich.
7. Je stärker der Kaffee ist, desto/umso schlechter schlafe ich.
8. Je schöner das Wetter ist, desto/umso häufiger gehe ich spazieren.

Exercise 39
open exercise

Exercise 40
2. …, anstatt mit dem Hund zu spielen?
3. …, anstatt so lange zu telefonieren?
4. …, anstatt die schöne Frau zu beobachten?
5. …, anstatt Musik zu hören?
6. …, anstatt eine halbe Stunde zu duschen?

Exercise 41
open exercise

Exercise 42

1. Als	9. als
2. Obwohl	10. dass
3. da/weil	11. sodass
4. Bevor	12. da/weil
5. wie	13. Als
6. Während	14. Nachdem
7. Nachdem	15. als
8. sodass	16. ohne

Exercise 43
Sample solution:
2. Ich habe schon viel erlebt, seitdem ich sie kenne.
3. Obwohl sie noch sehr jung ist, weiß sie genau, was sie will.
4. Ich war sehr überrascht, als er mir davon erzählte.
5. Wir werden dich besuchen, sobald wir wieder Urlaub haben.
6. Da ich kein Geld bei mir hatte, konnte ich das Busticket nicht bezahlen.

7. Warum warten Sie nicht, bis jemand kommt und Ihnen hilft?
8. Nachdem der Zug angekommen war, stiegen wir aus.
9. Ich weiß nicht, ob du das auch so siehst, aber …
10. Könntest du nicht ein bisschen mehr lernen, anstatt hier herumzuliegen?
11. Es hat so viel geschneit, dass wir einen großen Schneemann bauen können.
12. Nehmen Sie eine von diesen Tabletten, wenn Sie starke Schmerzen haben.
13. Gehen Sie nicht weg, bevor Sie mir das Rezept von diesem herrlichen Kuchen gegeben haben.
14. Das Buch ist nicht so interessant, wie ich gedacht habe.
15. Ich werde es Ihnen erklären, falls Sie es nicht verstanden haben sollten.
16. Ich hätte gern Ihre Adresse, damit ich Ihnen die Unterlagen zuschicken kann.
17. Anstatt sein Geld zu sparen, sollte man es lieber ausgeben.
18. Je mehr ich schlafe, desto müder werde ich.
19. Es geht mir viel besser, seit ich weniger Kaffee trinke.
20. Während ich putze, singe ich ein Lied.
21. Ich möchte jetzt nichts essen, weil es schon so spät ist.
22. Falls mein Chef anruft, sagen Sie ihm bitte, dass ich alles erledigt habe.
23. Obwohl er krank war, konnte er uns zum Termin fahren.
24. Können Sie mir bitte sagen, ob ich hier richtig bin?
25. Nimm nie mehr mein Auto, ohne mich vorher zu fragen.
26. Diese Übung ist leichter, als ich gedacht habe.

Exercise 44
1. als
2. um
3. nachdem/sobald
4. ohne
5. wenn
6. damit
7. weil
8. obwohl
9. während/als/(immer) wenn
10. wenn

Exercise 45
Sample solution:
2. Mein Vater gibt mir nicht mehr Geld, weil er selber nicht mehr hat.
   …, obwohl er mir locker mehr zahlen könnte.
3. Er ging weg, sobald die Arbeit getan war
   …, als er fertig war.
   …, nachdem er alles ordentlich aufgeräumt hatte.
   …, obwohl wir noch jede Menge zu tun hatten.
   …, bevor wir fertig waren.
   …, weil er einen anderen Termin hatte.
   …, anstatt die Arbeit fertig zu machen.
4. Ich habe meine Arbeitsstelle gekündigt, weil mir die Arbeit keinen Spaß mehr gemacht hat.
   …, obwohl ich noch keine neue Stelle habe.
   …, sobald ich die Zusage in der anderen Firma hatte.
   …, als ich davon erfahren habe.
5. Morgen kommt meine Freundin, obwohl ich gar keine Zeit für sie habe.
   …, weil sie Urlaub hat.
   …, damit sie sich Mannheim ansehen kann.
6. Sie erkundigte sich nach einem Flug in die Türkei, weil sie dort Urlaub machen wollte.
   …, nachdem sie erfahren hatte, dass sie eine Woche Urlaub machen konnte.
   …, obwohl sie gar kein Geld dafür hatte.
7. Die Arbeiter haben den Streik beendet, nachdem ihre Forderungen erfüllt worden waren.
   …, weil sie nicht länger streiken durften.
   …, obwohl sie nichts erreicht haben.
8. Österreich gefällt mir sehr, weil es dort so tolle Berge gibt.
   …, obwohl es so weit weg ist.
   …, wenn ich dort nicht zum Wandern gehen muss.
   …, wie du dir sicher vorstellen kannst.

Exercise 46
open exercise

Exercise 47
1. WEIL	5. BIS
2. WENN	6. NACHDEM
3. WAEHREND	7. OHNE
4. OBWOHL	

Solution: ENDLICH